Dios Te Ha Bendecido es parte de

LA COLECCIÓN DE MOMENTOS CATÓLICOS

10 programas que creemos que re-energizarán la Iglesia
católica en América. Si usted desea aprender más sobre
la colección de Momentos Católicos o ser parte de lo que
hacemos: visite *DynamicCatholic.com*.

CONFIRMACIÓN

CUARESMA Y PASCUA

PRIMERA COMUNIÓN

PRIMERA RECONCILIACIÓN

PREPARACIÓN MATRIMONIAL

NACIMIENTO Y BAUTISMO

RITO DE INICIACIÓN CRISTIANA PARA ADULTOS

ORACIÓN DIARIA

LA MISA DOMINICAL

LA MUERTE Y LOS MORIBUNDOS

Estos materiales son el resultado de miles de horas de rigurosa investigación, desarrollo y pruebas. Más de 500 personas han estado involucradas en el proceso. A través del desarrollo del programa, estudiantes, catequistas, maestros, directores de educación religiosa, padres, y párrocos nos han dicho lo que está y no está funcionando. Repetidamente, hemos refinado nuestros materiales a causa de la retroalimentación recibida.

Y aún no hemos terminado. Por décadas, los niños han estado usando programas que fueron desarrollados una vez y nunca cambiaron o solo cambiaron cada siete años. Este no será el caso de *Dios Te ha Bendecido*. Nuestra esperanza es que ustedes nos retroalimenten para que podamos seguir mejorándolo regularmente.

Gracias por participar en este caminar. Nos damos cuenta que el papel que usted desempeña en la preparación de los chicos católicos para la Primera Comunión a veces no recibe el agradecimiento que debería, así que nosotros personalmente queremos darle las gracias por todo lo que usted hace por la Iglesia. Esperamos y oramos para que este programa haga que su experiencia con los chicos católicos de hoy sea profundamente satisfactoria tanto para usted como para ellos.

Hay momentos en los que los ojos de un niño se agrandan de entusiasmo y comienzan a brillar. Nosotros en Dynamic Catholic llamamos a esa expresión facial el momento de "ahora lo comprendo". ¡Que nuestros esfuerzos combinados con su dedicación produzcan más momentos de "ahora lo comprendo" en los ojos de sus estudiantes este año!

Que la gracia de nuestro Dios, que es abundante y generoso, le de inspiración, valor, sabiduría y paciencia.

El Equipo de Dynamic Catholic

el
Enfoque de Dynamic Catholic

Dios Te ha Bendecido *es diferente. Basta darle un vistazo al material para darse cuenta que es diferente. Luce diferente y se siente diferente porque es diferente. La manera en que hemos desarrollado el programa es muy distinta a cómo los programas católicos han sido desarrollados en el pasado. Respaldado por una investigación y pruebas rigurosas,* Dios Te ha Bendecido *ha utilizado la última y más efectiva tecnología del mundo para crear una experiencia inolvidable.*

Dios Te ha Bendecido *no es diferente solo por querer ser diferente. La manera antigua sencillamente no está funcionando, ya que el 85% de los jóvenes católicos dejan de practicar su fe dentro de los diez años que siguen a su confirmación. Los riesgos son demasiado elevados.Se necesita algo diferente.*

El Proceso

¿Qué recuerda de su Primera Comunión? La mayoría de las personas no puede recordar nada. Juntos podemos cambiar eso para la próxima generación de católicos.

Hay muchos programas que presentan fielmente las enseñanzas de la Iglesia; pero eso no es suficiente. Presentar fielmente las enseñanzas de la Iglesia es esencial, pero también es crucial que sean presentadas de una manera interesante, accesible y relevante.

De modo que nos dispusimos a crear el mejor de los programa de Primera Comunión del mundo—el programa más dinámico para preparar a los niños para este gran Momento Católico. Como resultado, nos ha tomado más de tres años desarrollar *Dios Te ha Bendecido*. Esto es lo que se necesitó para crear un programa de talla mundial, el cual ahora usted sostiene en sus manos.

AÑO UNO: ESCUCHAR

Pasamos un año entero escuchando: reuniones—cientos de reuniones—grupos de enfoque y llamadas telefónicas. Catequistas, maestros, padres, directores de educación religiosa, y sacerdotes nos dijeron que querían libros de trabajo atractivos, guías de líderes amistosas y útiles para los catequistas, recursos que atrajeran a los padres al proceso y música impactante. Nos dijeron que sería formidable si, por una vez, nuestros materiales católicos fueran tan buenos como los programas seculares que nuestros hijos experimentan todos los días. Pero, sobre todo, querían programas que ayudaran a los niños a descubrir la genialidad del catolicismo de una manera tal que los inspirara a volverse católicos para toda la vida.

AÑO DOS: EXPLORAR

Pasamos el segundo año explorando cada uno de los programas de preparación para la Primera Comunión que se encuentran disponibles en la actualidad. Analizamos las diferencias y similitudes entre ellos. Investigamos qué partes en cada uno de ellos eran efectivas y qué aspectos, simplemente, no estaban funcionando. También exploramos las mejores prácticas entre otras iglesias y grupos cristianos para descubrir cómo estaban atrayendo a sus estudiantes. Entonces pasamos mucho tiempo preguntándonos por qué: ¿Por qué funciona esto? ¿Por qué esto no funciona? ¿Por qué los niños no responden a esto o a eso? Y finalmente nos preguntamos: ¿Qué se necesitará para que realmente se involucren en una discusión significativa sobre la genialidad del catolicismo?

Para el tercer año estábamos desarrollando nuestro propio programa basado en lo que habíamos aprendido. Esto dio inició un ciclo de desarrollo y prueba. Desarrollábamos fragmentos de material y los poníamos a prueba con los expertos. Una gran parte del material funcionaba, pero otra no; y todo se mejoraba a partir de la retroalimentación recibida durante la prueba.

Ahora es el momento de compartir *Dios Te ha Bendecido* con el mundo. Pero nosotros vemos esto como una prueba a gran escala. Sabemos que no es perfecto; ningún programa lo es. La diferencia es que todavía no hemos acabado. Muchos programas son lanzados y nunca cambian. Pero a nosotros nos entusiasma mejorar este programa continuamente, basándonos en la retroalimentación que usted y sus niños nos provean. Así que si ven un error o una manera sustancial en que podamos mejorarlo, por favor hágannoslo saber.

La Experiencia

Dios Te ha Bendecido es una experiencia diseñada por Dynamic Catholic para preparar a los católicos más chicos para el Sacramento de la Primera Comunión.

En el corazón del programa se encuentran 42 películas animadas cortas cuya duración se extiende de 1 a 15 minutos.

Aquí tiene un vistazo rápido de las distintas maneras en que se puede vivir la experiencia de *Dios Te ha Bendecido*.

1. **En Línea**: El programa completo estará disponible en línea para todos y en todo momento.

2. **Formato Impreso**: El libro de trabajo, la guía para líderes y la serie en DVD también estarán disponibles para las parroquias y los individuos que los deseen.

3. **Audiolibro**: Para que cualquier católico en los Estados Unidos experimente el contenido universalmente informativo e inspirador de *Dios Te ha Bendecido*; es perfecto para los padres y los seres queridos de los que se están preparando para el Sacramento.

4. **Disco Compacto (CD) de Música**: Música contagiosa e inspiradora para escuchar en el automóvil, en el aula y en el hogar.

5. **Contenido en Inglés**: El programa completo también está disponible en inglés.

Los niños ...

- Vienen en diferentes tamaños y con distintas habilidades

- Les encanta hablar, con frecuencia exagerando historias

- Trabajan duro para complacer a los padres, a los catequistas, a los maestros y a otros adultos

- Prosperan con el uso de estructuras y rutinas

- Son sensibles a la valoración de los adultos

- Se comparan con otros

- Le dan mucha importancia a las amistades

- Ven las cosas como buenas o malas, maravillosas o terribles, con muy poco terreno neutral o área gris

- Están empezando a usar el razonamiento lógico

- Tienden a tomar decisiones basadas en la influencia de otras personas

- Tienen dificultad con el razonamiento abstracto

- Necesitan hacer cierre y desean terminar las tareas

- Quieren trabajar para ser perfectos, borrando constantemente

- Desean trabajar despacio

- Coleccionan y organizan cosas

- Aprenden mejor cuando sienten una conexión emotiva

- Tienen una fuerte sensación de asombro

*Típicamente, los niños reciben los Sacramentos de la Primera Reconciliación y la Primera Comunión en el segundo grado; pero, pensamos que estarán de acuerdo con que Dios Te Ha Bendecido puede serle útil a todo católico en los Estados Unidos.

Los Elementos

En Dynamic Catholic creemos que todo lo que hacemos como católicos debe ser excelente; es por eso que buscamos los mejores recursos en el mundo para crear una experiencia inolvidable con la genialidad del catolicismo.

LOS LIBROS DE TRABAJO

Los libros de trabajo, bellamente ilustrados, están hechos de más de 250 obras de arte pintadas a mano por un artista aclamado internacionalmente. La combinación de ricos contenidos visuales y dinámicos llevan la fe a la vida de los niños como nunca antes. El contenido encuentra a los niños donde están y los lleva paso a paso hacia donde Dios los está llamando.

EL COMPONENTE PATERNO-MATERNO

Dios Te Ha Bendecido cuenta con un programa de correos electrónicos para padres, audiolibros y CDs de música, como respuesta al clamor de catequistas, maestros, directores de educación religiosa y Obispos: una manera dinámica de atraer a los padres que no están involucrados activamente y animarlos a hacer de la fe una prioridad en su vida.

LA ANIMACIÓN

Nuestra investigación reveló que la retención cognitiva en los niños de 6 a 9 años de edad está directamente relacionada con la conexión emotiva, y nada como la animación para conectarse con los niños a un nivel emocional significativo. De modo que pensamos que era hora de que los católicos se aprovecharan de las técnicas que Disney ha estado usando por más de noventa años para influir a nuestros niños.

Nos unimos con un estudio de animación, ganador del Premio Emmy, para crear la primera serie de películas animadas que jamás ha existido para la preparación sacramental. Cada uno de los 42 episodios se conectará con la sensación de asombro de sus niños llevándolos a una aventura inolvidable en la historia de Jesús y de las verdades vivificantes de su Iglesia.

El Formato

Este programa está dividido en seis sesiones. Cada sesión tiene al menos 60 minutos de material de clase, el cual puede ser utilizado en la forma que el/la catequista encuentre más conveniente para su grupo particular de estudiantes. Las sesiones están divididas de manera que el contenido puede acortarse o alargarse durante una clase y así ajustarse a sus necesidades.

> **Nuestra investigación reveló que la retención cognitiva en los niños de 6 a 9 años de edad está directamente relacionada con la conexión emotiva, y nada se conecta mejor con los niños como la animación.**

LAS SESIONES

Cada una de las seis sesiones de *Dios Te ha Bendecido* está compuesta de diferentes partes. Cuando usted planifique su tiempo de clase tome esto en cuenta y planifique una estructura como esta:

1 **Oración de Apertura**

2 **Momentos de Enseñanza:** Los episodios 2, 3, 4, y 6 son los episodios con contenido de enseñanza básica.

3 **De la Biblia:** Cada episodio 5 utilizará la Sagrada Escritura para ilustrar el punto básico de la sesión. Esto ayudará a que la Escritura ise haga vida!

4 **Muestra lo que Sabes:** Esta es una oportunidad para que los estudiantes respondan preguntas de verdadero o falso y llenen los espacios en blanco y así usted pueda medir si los estudiantes están prendiendo el material.

5 **Diario con Jesús:** Esta es una oportunidad para que los estudiantes tengan—devotamente—una conversación íntima con Jesús. Ellos podrán escribirle o dibujarle sus pensamientos a Jesús.

6 **Oración Final**

Además, hay dos características diseñadas para racionalizar y mejorar la experiencia:

1. En cada primera plana (doble página) encontrará una lista de instrucciones y actividades paso a paso.

2. El número de las páginas corresponde con el libro de trabajo de los estudiantes, de modo que los dos libros coinciden.

SUGERENCIAS

A través de esta guía, encontrará una variedad de sugerencias. Le recomendamos que lea cada sugerencia cuidadosamente, de principio a fin. Esto le facilitará conectarse con los chicos católicos y crear una experiencia dinámica. Esto también le dará más confianza en sí mismo/a y le permitirá disfrutar el proceso, y imientras usted más lo disfrute, más lo disfrutarán ellos! Recuerde que usted les está ofreciendo algo hermoso. Bríndeles un hermoso encuentro con Dios y con su Iglesia y usted les cambiará sus vidas para siempre. No pierda eso de vista.

ICONOS

 **Oración:** Indica el momento en el que se le anima a usted a rezar con los niños.

 **Leer y Explorar:** Sugiere un tiempo para que los niños exploren el libro de trabajo y para que el material se lea en voz alta, con un compañero o en silencio.

 **Ver y Discutir:** Indica un momento para ver uno, dos, o a veces hasta tres episodios seguidos de una discusión en grupo.

 **Muestra lo que Sabes:** Indica cuándo pedirles a los niños que completen actividades de verdadero o falso y de llenar los espacios en blanco.

 **Diario con Jesús:** Indica el momento en que los estudiantes se involucran en una conversación personal y dirigida con Jesús.

 **Medidor de Tiempo:** Es una guía para ayudarlo a planificar aproximadamente cuánto tiempo tomará cada actividad.

CITAS

A lo largo de este libro hay citas de algunos de los grandes campeones espirituales cristianos. Que sus palabras le den mucho ánimo y sabiduría a lo largo de este proceso y sobre todo, que lo/la inspiren para convertirse en la mejor versión de sí mismo/a, para crecer en virtud y para vivir una vida santa.

Formatos Sugeridos

Uno de los grandes retos en el desarrollo de materiales para la Primera Comunión es que cada diócesis prepara a sus candidatos de distintas maneras para períodos de tiempo diferentes, con diferentes formatos de clase. Con esto en mente, hemos desarrollado *Dios Te ha Bendecido* con un formato sugerido, pero que a la vez lo hace infinitamente flexible.

Sugerimos que el programa se experimente a través de seis clases de 90 minutos de duración. Esto puede tener lugar una vez al mes por seis meses, dos veces al mes por tres meses, o una vez a la semana por seis semanas.

Si no es así como usted actualmente se estructura la preparación para la Primera Comunión, lo/la invitamos a que considere tratar algo nuevo. Que siempre lo haya hecho de cierta manera no significa que necesite seguir haciéndolo así – especialmente si esa manera no está produciendo resultados.

Otros Formatos

La médula del programa está constituida por 42 episodios animados cortos. En el formato sugerido, los niños experimentarían siete de estas animaciones cortas cada clase. Sin embargo también puede usar uno por clase por 42 sesiones, dos por clase por 21 sesiones, o tres por clase por 14 sesiones.

El programa fue diseñado específicamente para tener esta flexibilidad. Cada episodio es rico en contenido y concepto. Esto genera grandes oportunidades para iniciar discusiones de clase o de grupos pequeños.

A esta edad, los niños ansían la repetición. A las parroquias y escuelas que tienen programas más largos y que necesitan más material, se les sugiere identificar episodios clave y mostrarlos múltiples veces. Habrá ciertos episodios hacia los cuales los niños gravitarán; deje que esos episodios y su tema se vuelvan parte de la estructura de la clase y en última instancia parte de la estructura de sus vidas.

Estamos Rezando por Ustedes

En el Evangelio de Marcos, justo después de la Transfiguración, Jesús baja de la montaña con Pedro, Santiago, y Juan. Esperando por Jesús se encuentra un padre desesperado por la curación de su hijo. El padre está un poco frustrado porque los discípulos de Jesús no han podido liberar a su hijo del demonio que lo plaga. Jesús reprende al espíritu maligno y éste deja al muchacho. Sus discípulos, sin duda frustrados por su incapacidad para curar al muchacho, le preguntan a Jesús, "¿Por qué no pudimos expulsar nosotros a ese espíritu?", y él les respondió: "Esta clase de demonios no puede echarse sino mediante la oración y el ayuno" (Marcos 9,29).

Algunas cosas son tan importantes que necesitan oración y ayuno. Además de crear *Dios Te ha Bendecido*, hemos estado rezando y ayunando por usted y por los niños que experimentarán este programa. Juntos, con la gracia de Dios, transformaremos el corazón de todos los niños que experimenten *Dios Te ha Bendecido*, ayudándolos a convertirse en todo lo que Dios los creó para ser.

Si hay algo en que Dynamic Catholic le pueda servir, por favor, comuníquese con nuestro Equipo de Misión llamando al 859-980-7900 o envíennos un correo electrónico a blessed@dynamiccatholic.com.

Juntos, con la gracia de Dios, transformaremos el corazón de todos los niños que experimenten *Dios Te ha Bendecido*, ayudándolos a convertirse en todo lo que Dios los creó para ser.

1

El Domingo Es Especial

Guía rápida de la sesión

OBJETIVOS

- **PROCLAMAR** la Eucaristía como una de las mayores bendiciones de la vida.

- **EXPLICAR** que cada día es un nuevo día en nuestro camino con Dios, y todos los días Dios tiene un mensaje que está tratando de compartir con nosotros.

- **ENSEÑAR** que ir a Misa los domingos es una excelente manera de mostrarle a Dios que estamos agradecidos por todas nuestras bendiciones.

- ## **Saludan a los niños en la puerta.**
- ## **Les hacen saber a los niños que están rezando por ellos.**

BIENVENIDA

La mayoría de las veces, las personas que Dios invita a llevar a cabo su increíble trabajo se sorprenden de que hayan sido elegidas. Tenemos a Moisés, un asesino con un impedimento del habla; Pedro, el pescador sin educación; María, una virgen prometida; Paul, el asesino cristiano; y Juana de Arco, una campesina sin experiencia militar o educación formal. ¡Dios realmente trabaja de maneras inesperadas!

Usted ha sido elegido/a por Dios para una misión especial: guiar a estos niños en su preparación para su Primera Comunión. ¡Qué oportunidad tan maravillosa la que usted tiene ante sus ojos!

Gracias por decir que sí a esta misión. Gracias por acercar a los niños a Jesús. Su trabajo hace una gran diferencia, una diferencia eterna.

Su primer día con estos niños presenta una oportunidad fabulosa. La mayoría de los líderes que fracasan en la enseñanza lo hacen porque creen que el conocimiento es la única herramienta que un maestro necesita para dirigir una clase de manera efectiva. Esto no podría estar más lejos de la verdad. Décadas de investigación revelan que los niños no escucharán ni una sola palabra de lo que usted diga, hasta que ellos sepan qué tan importantes son ellos para usted.

Así que: salúdelos en la puerta, hágales saber que está orando por ellos, apréndase sus nombres, sus películas favoritas y compártales su propia historia de vida. Deje que los niños de su clase sepan que usted se preocupa por ellos, y el impacto que usted tendrá en su formación durará toda su vida.

Icono Oración	**Leer y Explorar**	**Ver y Discutir**	**Muestra lo que Sabes**	**Diario con Jesús**	**Medidor de Tiempo**

ORACIÓN DE APERTURA

Paso a Paso

1 Introduzca la oración de apertura diciendo: "Tomémonos un momento para tranquilizarnos, hacer silencio y abrirnos a lo que sea que Dios quiera guiarnos hoy".

2 Hagan juntos la Señal de la Cruz.

3 Lea la oración de apertura lentamente y en forma reflexiva.

El trabajo humano por sí solo no puede lograr un propósito divino.

Semillas de Mostaza

Mis Notas:

_____

_____

_____

_____

_____

_____

_____

1
El domingo Es Especial

Dios nuestro, Padre amoroso,
gracias por todas las formas en que me bendices.
Ayúdame a estar consciente de que cada persona,
cada lugar, y cada aventura que experimento
es una oportunidad para amarte más.
Lléname con el deseo de cambiar y crecer,
y dame la sabiduría para escoger ser
la-mejor-versión-de-mí-mismo/a en
cada momento de cada día.

Amén.

2 minutos

_____

_____

_____

_____

_____

_____

_____

Reza, espera y no te preocupes. La preocupación es inútil. Dios es misericordioso y escuchará tu oración.

San Pío de Pietrelcina

1

VER Y DISCUTIR

Paso a Paso

1 Presente el primer episodio diciendo: "Ben, su hermana Sarah, y su mascota, un jerbo llamado Hemingway, están listos para disfrutar de una gran fiesta con cinco de sus amigos".

2 Vean el Episodio 1.

Busca dentro de ti la dulzura que alienta a las personas a sentirse cómodas a tu alrededor.

Semillas de Mostaza

Sigue Contando Tus Bendiciones

¡Bienvenido/Bienvenida! Es hora de que juntos emprendamos otra gran aventura.

Una de las bendiciones más grandes que experimentarás en esta vida es la Eucaristía. Así que este caminar hacia tu Primera Comunión es muy importante.

Dios te está invitando a un gran banquete. Dios te ha bendecido.

Mis Notas:

_____

_____

_____

_____

_____

_____

_____

_____

Dios te ha bendecido de muchas maneras. Pero cada bendición que experimentas fluye de la primera bendición. Tú eres hijo/a de Dios; esa es la bendición original.

Y ahora ¡Dios quiere bendecirte con la Eucaristía!

Esta noche, cuando cuentes tus bendiciones antes de irte a la cama, acuérdate de incluir tu comida favorita, las personas que amas, tus talentos, tus actividades y lugares favoritos, y sobre todo a Dios por darte todas estas bendiciones.

7 minutos

sugerencia

Este es el primer episodio animado que ellos experimentarán en el programa. Asegúrese que todos puedan ver la pantalla. Cuando termine el episodio, comparta algo específico que le haya gustado. Por ejemplo: "A mí me gustó mucho cómo cada uno de los niños compartió algo por lo que están agradecidos", "Me encanta la casa club y los tubos que han colocados alrededor de la habitación para Hemingway, el jerbo", "Me pareció muy gracioso como Tiny levantó a Ben para colgar la pintura", etc.

En todas las cosas creadas, discierne la providencia y la sabiduría de Dios; y en todas las cosas dale las gracias a Él.

Santa Teresa de Ávila

3

VER Y DISCUTIR

Paso a Paso

1 Hágales saber a los niños que el episodio que van a ver es más largo que el primero. Sugiérales que intenten ponerse cómodos.

2 Introduzca el Episodio 2 estableciendo una expectativa importante: "En este episodio, Sarah realiza una búsqueda para descubrir por qué Dios nos da regalos como la Primera Comunión. ¡Veamos qué descubre!".

3 Vean el Episodio 2.

4 Pregúnteles a los niños: "¿Qué descubrió Sarah?, ¿por qué Dios nos da grandes momentos católicos como la Primera Comunión?".

- PORQUE DIOS QUIERE QUE VIVAMOS UNA VIDA PLENA Y FELIZ EN ESTE MUNDO, Y QUE VIVAMOS CON ÉL EN EL CIELO, EN ETERNA FELICIDAD PARA SIEMPRE.

Tu Camino con Dios Continúa

Nosotros continuamos nuestro caminar con Dios. Pero antes revisemos a dónde hemos estado y hacia dónde vamos.

Mis Notas:

_____

_____

_____

_____

_____

_____

_____

_____

Bautismo

Antes de que Jesús iniciara su ministerio Él visito a su primo, Juan el Bautista, en el desierto. Juan estaba bautizando a muchas personas en el río Jordán para prepararlos para la venida del Mesías.

Juan animaba a todas las personas que conocía a regresar a Dios, reconocer sus pecados, y buscar el perdón de Dios.

14 minutos

sugerencia

Si es posible, tómese un momento para escribir la pregunta en la pizarra o en algún lugar en el que todos la puedan ver. Esto ayudará a los niños de su clase que aprenden de forma visual. Escriba la respuesta en la pizarra y manténgala ahí durante toda la clase. Haga que los niños recuerden el tipo de vida que Dios sueña para ellos.

Dejen que los niños vengan a mí y no se los impidan, porque el Reino de Dios les pertenece a los que son como ellos.

Mateo 19, 14

LEER Y EXPLORAR

Paso a Paso

1 Invite a los niños a explorar la ilustración. Pregúnteles: "¿Qué es lo que ven?". Luego discutan las cosas que ellos han notado. Prepárese para iniciar la conversación con su propia respuesta.

2 Pregúnteles a los niños: "¿Cómo creen que se sintió Juan el Bautista cuando bautizó a Jesús?". Una pista: Juan sabía que Él era el Salvador

- SORPRENDIDO
- AGRADECIDO
- INDIGNO
- FELIZ

Estás llamado a ser un líder y la única forma de liderar es con un ejemplo de virtud.

Semillas de Mostaza

Cuando Jesús llegó al río Jordán, le pidió a Juan que lo bautizara. Al principio Juan se negó porque sabía que Jesús era el Mesías y, por lo tanto, Él no tenía ningún pecado. Pero Jesús insistió.

Jesús no necesitaba ser bautizado para que le perdonarán los pecados, algo que tú y yo sí necesitamos, pero Él quería hacerlo para enseñar con el ejemplo. Él fue completamente divino, pero también era completamente humano. Al permitirse ser bautizado, Jesús demostró un gran amor y respeto por nuestra humanidad.

Cada año la Iglesia celebra el bautismo de Jesús en el último día de la temporada de Navidad. Nosotros celebramos su bautismo porque nos recuerda todo lo que Jesús hizo para que fuéramos felices en esta vida y que seremos mucho más felices — aún más de lo que nos podemos imaginar — cuando estemos con Él en el Cielo para siempre.

¿Sabes cuándo y dónde te bautizaron? El Bautismo fue el inicio de tu nueva vida en Jesús. Fue cuando te convertiste en miembro de su Iglesia y te uniste a la familia más grande y famosa del mundo. Tú probablemente no recuerdas tu Bautismo pero fue uno de los momentos más poderosos de tu vida.

Mis Notas:

_____

_____

_____

_____

_____

_____

_____

Así como la Iglesia celebra el bautismo de Jesús, nosotros debemos de celebrar nuestro propio bautismo. Este año celebra el día de tu Bautismo como celebrarías tu cumpleaños.

2 minutos

sugerencia

Puede ser que algunos niños necesiten más de una pregunta para iniciar en la conversación. Las preguntas abiertas son una buena herramienta para motivar la imaginación. Por ejemplo: ¿Qué es lo que ves? ¿Por qué crees tú que Jesús tiene gotas de agua en su cuerpo? ¿Se ve Juan el Bautista diferente a las otras personas? Si necesitan una pista dígales que vean su ropa en la ilustración. Al discutir las cosas que ellos notan usted abre la puerta a un nivel más profundo de conversación.

Dios me cuidó antes de conocerlo y antes de que aprendiera, o sintiera o incluso distinguiera entre el bien y el mal.

San Patricio

LEER Y EXPLORAR

Paso a Paso

1 Invite a sus estudiantes a que cada uno de ellos lea un párrafo de la historia de José y sus hermanos.

No puedes vivir sin sueños. Los sueños fomentan la esperanza y la esperanza es una de las fuerzas por las cuales viven hombres y mujeres.

El Ritmo de la Vida

Primera Reconciliación

José era uno de 13 hermanos. José no le caía bien a sus hermanos mayores porque él tenía sueños fabulosos. Un día mientras él estaba trabajando en los campos, sus hermanos lo engañaron y lo vendieron como esclavo. Él fue enviado a Egipto y forzado a quedarse ahí, lejos de su familia y amigos.

Años después, una terrible hambruna se esparció por la tierra y la familia de José se estaba muriendo de hambre. Egipto era el único país que estaba preparado para la hambruna, así que el Faraón designó al gobernador para que estuviera a cargo de toda la comida. Los hermanos de José fueron a Egipto a suplicarle al gobernador por comida. Ellos no se dieron cuenta que el gobernador era José, el hermano que ellos habían vendido como esclavo.

Mis Notas:

_____

_____

_____

_____

_____

_____

_____

José tenía una decisión que tomar, guardar resentimiento hacia sus hermanos por haber sido tan malos con él o escoger perdonarlos.

El había sufrido mucho por lo que sus hermanos le habían hecho, pero José era bondadoso y misericordioso y decidió perdonarlos.

Cuando José se reveló ante sus hermanos ellos se sorprendieron.

2 minutos

sugerencia

Theodore Roosevelt escribió una vez: "Un conocimiento profundo de la Biblia vale más que una educación universitaria". ¿Por qué? Porque el sabia por experiencia que la Biblia nos guía al plan misterioso y fabuloso que Dios tiene para nuestras vidas. La Biblia no es solo otro libro y las historias que contiene no son solo historias viejas. La Biblia es la guía para su vida y la vida de los niños en su clase. Es transformacional. Si usted expresa reverencia y aprecio por la Biblia, el impacto en la vida de los niños será incalculable.

En verdad les digo: quien no reciba el Reino de Dios como un niño, no entrará en él.

Marcos 10, 15.

LEER Y EXPLORAR

Paso a Paso

1 Lea el texto en voz alta.

2 Comparta con los niños una ocasión en la que usted perdonó a alguien que no merecía ser perdonado, o cuando usted fue perdonado/a y no lo merecía. Nunca subestime el poder de transmitir humildad.

La confesión es un regalo. Contempla la belleza. Abraza el tesoro.

Redescubre el Catolicismo

La vida puede ser muy confusa. Nosotros cometemos errores y de vez en cuando hacemos cosas que no deberíamos. Quizás nosotros no vendemos a nuestros hermanos para que sean esclavos, pero sí ofendemos a Dios y herimos a los demás. A esto lo llamamos pecado, y pecar nos hace infelices. El pecado nos separa de Dios. La Reconciliación nos reúne con Dios y nos llena de gozo otra vez.

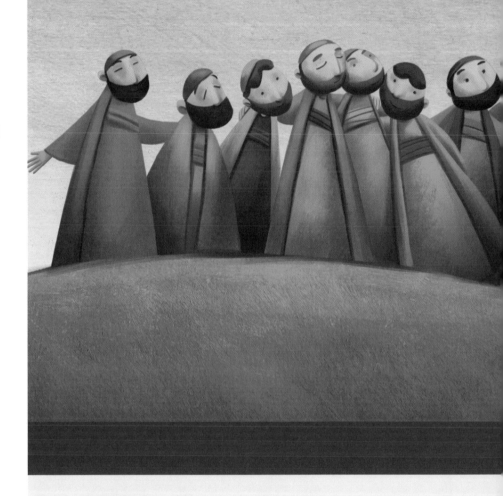

Mis Notas:

_____

_____

_____

_____

_____

_____

_____

_____

¿Cuándo recibiste tu Primera Reconciliación? Tu Primera Reconciliación fue una gran bendición y es una bendición que puedes recibir todas las veces que quieras durante toda tu vida. Yo te motivo a que asistas a la Reconciliación y le abras tu corazón a Dios en cualquier momento que te sientas lejos de Él. Él te dará la paz y el coraje para continuar.

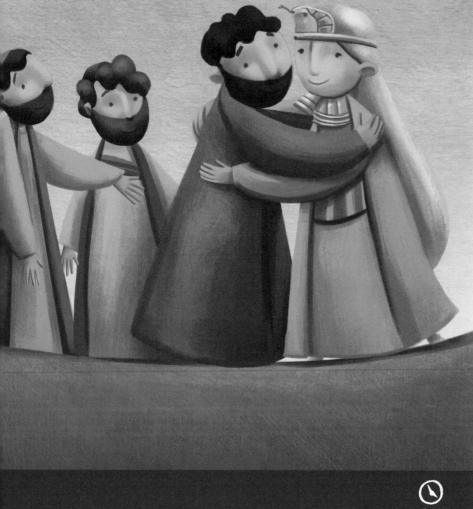

2 minutos

sugerencia

Susurre o baje la voz para captar la atención de los niños. Esto puede ser más efectivo que alzar la voz.

Los momentos de una confesión sincera bien pueden estar entre los momentos más dulces, más reconfortantes, y más decisivos de la vida.

Beato Pablo VI

11

LEER Y EXPLORAR

Paso a Paso

1 Deles a los niños un momento para explorar la ilustración.

2 Mientras exploran, cuénteles su parte favorita de recibir la Comunión. Quizás usted no se ha dado cuenta, pero muchos de los niños de su clase no saben que recibir la Comunión por primera vez es un gran momento en sus vidas. Su emoción les permitirá a ellos empezar a emocionarse sobre el maravilloso regalo que pronto recibirán.

Los pensamientos se vuelven elecciones, las elecciones se convierten en acciones, las acciones se convierten en hábitos, los hábitos se convierten en carácter y tu carácter es tu destino.

Punto Decisivo

Primera Comunión

Tu camino con Dios es un caminar espiritual. En el camino tendrás que tomar muchas decisiones. Algunas serán grandes y otras muy pequeñas. Cada decisión que tomas te cambiará para siempre. Esta es una de las muchas razones por las que Dios quiere ayudarte a convertirte en una persona que sabe tomar decisiones.

Tú te estas preparando para tu Primera Comunión. Recibir a Jesús en la Eucaristía todos los domingos es una de las grandes bendiciones de nuestra vida. Es una bendición para toda la vida. Recibir a Jesús en la Eucaristía cada domingo en la Misa te llenará de todo lo que necesitas para poder vivir una vida maravillosa.

Mis Notas:

_____

_____

_____

_____

_____

_____

2 minutos

Recuerde, una de las herramientas más poderosas que usted tiene para poder dirigir a este grupo es su historia personal. Si usted tiene una foto del día de su Primera Comunión, o una de sus hijos, tráigala y compártala. Si no tiene una para esta clase, asegúrese de traerla para la próxima.

Siempre que coman este pan y beban esta copa, proclamarán la muerte del Señor hasta que Él vuelva.

1 Corintios 11, 26

LEER Y EXPLORAR

Paso a Paso

1 Dígales a los niños que usted va a leer el último párrafo en voz alta, porque contiene un recordatorio especial de lo asombroso que es Dios.

2 Lea el último párrafo en voz alta.

Jesús se entrega a ti en la Eucaristía. Él te da su apoyo para que tú puedas perseverar en tiempos de dificultad. Y te da su sabiduría para que puedas convertirte en una persona que sabe tomar decisiones.

Después de tu Primera Comunión, tú podrás recibir a Jesús en la Eucaristía cada domingo por el resto de tu vida. En la Eucaristía, Jesús quiere motivarte y apoyarte. Él quiere ayudarte a que perseveres en los momentos de dificultad, Él quiere darte la sabiduría que necesitas para convertirte en una persona que sabe tomar decisiones, y Él quiere enseñarte como ser un buen amigo/a.

Mis Notas:

_____

_____

_____

_____

_____

_____

_____

No hay mejor manera de recibir la gracia de Dios que a través de la Eucaristía.

Punto Decisivo

Una de las promesas que Jesús hizo a sus discípulos antes de ascender al Cielo fue que Él siempre estaría con nosotros. Jesús mantiene su promesa en la Eucaristía. Nosotros vamos a la Iglesia los domingos para estar con Jesús. Es más, cada vez que sientas confusión o estés enojado/a o tengas una gran noticia que compartir, es maravilloso poder pasar a la iglesia y sentarse con Jesús por unos minutos. Él siempre está esperando por nosotros en el Sagrario. Es una gran bendición que Jesús siempre este con nosotros en la Eucaristía.

2 minutos

sugerencia

Dios no nos llama a la iglesia los domingos porque tiene una necesidad egocéntrica de que todos nos arrodillemos y le adoremos cada domingo a las diez de la mañana. La Misa no está diseñada para ayudarlo a Él; está diseñada para ayudarnos a nosotros. La Misa está llena de riquezas. Es un regalo inconmensurable. Anime a sus alumnos a abrazar este regalo, incluso ahora, mientras se preparan para su Primera Comunión.

Si los ángeles pudieran estar celosos de los hombres lo serían por una sola razón: la Sagrada Comunión.

San Maximiliano Kolbe

LEER Y EXPLORAR

Paso a Paso

1 Pregúnteles a los niños: ¿Cómo sería el mundo si María hubiera dicho que no a la misión para la cual Dios la creó?

Posibles respuestas:

- NO TENDRÍAMOS A JESÚS
- NADIE SE SALVARÍA
- MARÍA HABRÍA SIDO REALMENTE INFELIZ

Tú tienes la opción. ¿Eres un hijo de Dios o un esclavo del mundo?

Punto Decisivo

Confirmación

Dios quiere una colaboración dinámica contigo. Él no quiere mover su mano y hacer que todo suceda exactamente como Él lo quiere. Dios ama la amistad y Él quiere ser tu amigo.

Antes de que Jesús vinera a la Tierra, un ángel se le apareció a Maria y le preguntó si ella estaría dispuesta a ser la madre del Salvador del mundo. María dijo, "¡Sí!".

Dios no necesitaba a María. Él podría haber salvado al mundo por sí solo. Pero Dios no lo quería así. Dios quería una amistad dinámica con María.

Dios quiere una amistad dinámica contigo también.

Pero, ¿te puedes imaginar cómo sería el mundo si María no hubiera dicho "sí"?

¿Qué hubiera pasado si ella hubiera dicho que no a la misión que Dios había creado para ella?

Mis Notas:

_____

_____

_____

_____

_____

_____

_____

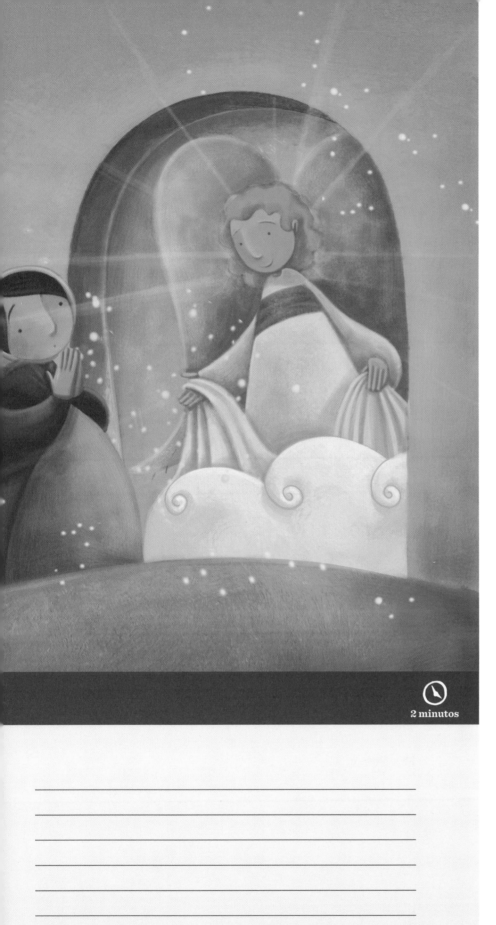

2 minutos

sugerencia

Si el tiempo lo permite, tómese un momento y establezca la conexión entre: decir sí a Dios y estar a cargo de dirigir esta clase. Coménteles que de todos los lugares en el mundo en los que usted podría estar, usted aceptó la invitación de Dios de estar aquí, ahora mismo, con ellos. Dígales que no hay ningún otro lugar, ni ningún otro grupo de niños con en el que usted preferiría estar. Los niños tienden a confiar y a respetar a un líder que los valora. Sea usted ese líder.

A través de María aprendemos a rendirnos a la voluntad de Dios en todas las cosas. Por María aprendemos a confiar incluso cuando toda la esperanza parece haber desaparecido. ¡Por María aprendemos a amar a Cristo, su hijo y el Hijo de Dios!

San Juan Pablo II

17

LEER Y EXPLORAR

Paso a Paso

1 Deles a los niños la oportunidad de explorar la ilustración del Arca de Noé. No se apresure. Deje un tiempo para preguntas. Pídales que compartan con usted su parte favorita. Comparta también usted su parte favorita de la ilustración.

2 Invite a un niño o niña a leer el primer párrafo en voz alta.

Y Noé hizo todo lo que el Señor le había ordenado.

Génesis 7,5

Dios te ha creado a ti para una misión especial. Hay mucha necesidad en el mundo. Las personas están hambrientas, solas, enfermas y asustadas. Tu misión es aliviar el sufrimiento de muchos. Pero, así como María, tú tienes el poder de decidir si aceptas o no la misión que Dios te ha dado.

Algunas personas se preguntan porque el mundo se ha hecho tan desordenado. Ellos se preguntan porque hay tanto dolor y sufrimiento en el mundo. La razón es simple: el mundo es un desorden porque muchas personas le dijeron que no a Dios y rechazaron sus misiones.

Así como Maria y los santos, tú fuiste hecho para la misión. Dile sí a Dios.

Cuando seas un poco mayor, recibirás el Sacramento de la Confirmación. Esté es otro maravilloso Sacramento. Atreves del Sacramento de la Confirmación Dios te llenará con el Espíritu Santo para que puedas descubrir y cumplir la misión que Dios te ha confiado.

Mis Notas:

_____

_____

_____

_____

_____

_____

_____

_____

3 minutos

sugerencia

¿Por qué se ha incluido una ilustración del Arca de Noé dentro del contexto de la Confirmación? Dios invitó a Noé a participar en la misión durante toda su vida, iniciando con cosas pequeñas. Cuando Dios vio que Noé era fiel en las pequeñas misiones, Él le dio algo más grande que hacer. Dios le siguió pidiendo a Noé que hiciera cosas más grandes y Noé siguió diciendo que sí. Dios preparó a Noé para su misión durante toda su vida. De la misma manera, Dios está preparando a cada uno de estos niños para su misión en la vida. La Confirmación será un momento importante en su camino, pero recuérdeles que incluso ahora Dios los está preparando para su misión especial en la vida dándoles la oportunidad de decir "sí" a las pequeñas tareas que Él les presenta durante todo el día.

Ama y haz lo que quieras. Si callas, callarás con amor; si gritas, gritarás con amor; si corriges, corregirás con amor.

San Agustín de Hipona

19

LEER Y EXPLORAR

Paso a Paso

1 Pídale a uno de los que niños que lea en voz alta el último párrafo.

2 ¡Tomen un descanso! Ponga música, invite a los niños a ponerse de pie. Guíelos en un estiramiento y en algunos pasos de baile, liberando así toda la energía que los hace estar inquietos. Anímelos a tratar de estirarse hasta alcanzar el cielo, a mover los hombros hacia delante y hacia atrás y a dar algunos saltos en su lugar. ¡Hágales saber que tienen su permiso para divertirse! Si es posible, ponga la canción titulada "Un hermoso día" de *Dios Te ha Bendecido: una colección de canciones para los jóvenes de corazón.*

Bienaventurada la pareja que entiende su matrimonio como un camino al cielo.

Allen Hunt

Matrimonio

Dios ama las relaciones entre las personas, y Él desea que tú tengas relaciones fabulosas. Una de las relaciones con las que Él puede escoger bendecirte es con la del matrimonio.

En el Sacramento del Matrimonio, Dios junta a un hombre y una mujer para que se valoren mutuamente, se amen el uno al otro, y se ayuden a convertirse en la-mejor-versión-de-sí-mismos, crezcan en virtud, y vivan juntos una vida santa.

Mis Notas:

_____

_____

_____

_____

_____

_____

Si asistes a una boda, puede que tú escuches un pasaje bíblico que San Pablo escribió sobre el amor. Sus palabras han inspirado a cada generación a amar como Dios ama:

> "El amor es paciente, es servicial; el amor no es envidioso, no hace alarde, no se envanece, no procede con bajeza, no busca su propio interés, no se irrita, no tienen en cuenta el mal recibido, no se alegra de la injusticia, sino que se regocija con la verdad. El amor todo lo disculpa, todo lo cree, todo lo espera, todo lo soporta".

1 Corintios 13, 4-7

2 minutos

sugerencia

En Juan 10, 10; Jesús dice: "He venido para que tengan vida y la tengan al máximo". Jesús nos recuerda que la vida debe ser disfrutada. Debido a que la tarea de transmitir la fe a la próxima generación es tan importante, a veces podemos olvidar que se supone que esta debe de ser una experiencia agradable para los niños. Por lo que, de vez en cuando, en los momentos apropiados, permítales a los niños reírse y pasarla bien. Si usted lo desea y se siente cómodo/a, idiviértase junto a ellos!

Porque el hombre fue creado a imagen y semejanza de Dios, que es Amor. Habiéndolos creado Dios hombre y mujer, el amor mutuo entre ellos se convierte en imagen del amor absoluto e indefectible con que Dios ama al hombre.

Catecismo de la Iglesia Católica 1604

21

LEER Y EXPLORAR

Paso a Paso

1 Deles a los niños un tiempo para explorar la ilustración.

2 Pregúnteles: "¿Por qué Jesús eligió lavar los pies de sus discípulos?".

- JESÚS QUERÍA ENSEÑARNOS QUE TODOS ESTÁN LLAMADOS A SERVIR.

Dentro de ti se oculta tu potencial para ser grandioso. Todos pueden ser grandiosos, porque todos pueden servir.

Semillas de Mostaza

Orden Sacerdotal

Cada domingo el sacerdote celebra la Misa. Él te bendice y te dirige en oración, te enseña, canta contigo y alimenta tu alma con el Cuerpo y la Sangre de Jesús.

Pero alguna vez te has preguntado ¿qué es lo que un sacerdote hace durante la semana?

Durante la semana, tu sacerdote visita a los enfermos, reza por ti y por todos en tu parroquia, celebra Misa cada día, entierra a los muertos, pasa un tiempo con los que están solos, y da aliento a los desesperados.

Pero él también hace muchas cosas ordinarias también, como ejercitarse y comer, leer y visitar a su familia y amigos.

Mis Notas:

_____

_____

_____

_____

_____

_____

_____

Jesús dio su vida por nosotros. Él dio su vida por nosotros en la cruz, y Él nos llama a dar la vida unos por los otros. Los sacerdotes dan su vida para amar a Dios y servir al pueblo de Dios. La misión del sacerdote es amar a Dios por medio del servicio a su pueblo.

Desde el tiempo de Jesús, Dios ha escogido hombres para que sirvan a su pueblo. En el Sacramento del Orden Sacerdotal, la Iglesia ordena a estos hombres como diáconos, sacerdotes y obispos.

Una noche antes de que Él muriera en la cruz, Jesús lavó los pies de sus discípulos. En el tiempo de Jesús solo los sirvientes y los esclavos lavaban los pies de las personas. Pero Jesús era diferente. Con el ejemplo Jesús demostró que todos estamos llamados a servir.

2 minutos

sugerencia

La repetición es crítica en la retención de información. Esta sesión contiene mucha información que los niños tienen que procesar. Es natural que ellos en su mente traten de priorizar la información que reciben. Al usar la repetición, usted puede ayudarlos a enfocarse en los detalles más importantes y asegurarse que cada niño pueda sacar el máximo provecho de cada página.

El Hijo del Hombre, que no vino a ser servido, sino a servir y dar su vida como rescate por muchos.

Mateo 20, 28

LEER Y EXPLORAR

Paso a Paso

1 Haga que un niño/a diferente lea en voz alta cada uno de los párrafos.

2 Tómese un tiempo para agradecerle a cada niño/a por haber leído y felicítelos por su buen trabajo. Por ejemplo: "Cindy, leíste esa sección muy bien. Me gusta mucho la forma en que usas tu voz para que suene como si alguien estuviera hablando".

Estás rodeado de milagros. Y parte de la invitación de Jesús es que tú lleves el milagro de su amor a los demás.

Vuelve a Descubrir a Jesús

Unción de los Enfermos

A diario suceden milagros a nuestro alrededor. En los Evangelios de Mateo, Marcos, Lucas y Juan, podemos leer todo lo referente a los milagros que hacía Jesús: convertir el agua en vino, sanar a los enfermos, hacer que los ciegos vuelvan a ver, que los sordos oigan, que los cojos caminen, sacar los demonios, dar de comer a miles de personas, resucitar a los muertos, calmar las tormentas y caminar sobre las aguas.

Un día, una persona paralítica quería ver a Jesús, pero como no podía caminar sus cuatro amigos decidieron llevarlo cargado hasta dónde Él estaba. Pero cuando llegaron a la casa dónde Jesús estaba enseñando, no pudieron entrar. Había muchas personas.

Mis Notas:

_____
_____
_____
_____
_____
_____
_____
_____

Los cuatro hombres estaban empeñados en ayudar a su amigo, así que lo subieron al techo de la casa y por ahí lo bajaron hasta que el quedo en presencia de Jesús. Al ver la fe de esos hombres, Jesús sanó al paralitico, quien inmediatamente se paró y salió caminando.

Tu camino con Dios es maravilloso. Pero si en el trayecto te enfermas y necesitas que Dios sane tu cuerpo, mente, o espíritu, tu recibirás la bendición de la Unción de los Enfermos.

2 minutos

_____
_____
_____
_____
_____
_____
_____
_____

Él proporcionará el camino y los medios en formas que tú no te puedes ni imaginar. Déjaselo todo a Él, déjate llevar, piérdete en la cruz y tú te encontrarás completamente.

Santa Catalina de Siena

LEER Y EXPLORAR

Paso a Paso

1 Introduzca el siguiente punto diciendo: "Ahora yo voy a leerles algo sobre la sanación. Escuchen con mucha atención".

2 Lea el pasaje en voz alta.

3 Pregúnteles a los niños: ¿Cuál de todos estos grandes Momentos Católicos es el que están más ansiosos por recibir?

- PRIMERA COMUNIÓN
- CONFIRMACIÓN
- MATRIMONIO
- ORDEN SACERDOTAL
- UNCIÓN DE LOS ENFERMOS

Dios está dispuesto a hacer todo el trabajo pesado. Él anhela nuestra cooperación, pero no irá donde no esté invitado.

Redescubre el Catolicismo

26

A lo largo del camino experimentarás estos grandes Momentos Católicos a los cuales llamamos Sacramentos. Cada uno de ellos es una bendición y todos están conectados. Estos grandes momentos están designados por Dios para ayudarte a vivir una vida buena aquí en la Tierra, y a la vez prepararte para vivir feliz con Dios en el cielo para siempre.

¡Dios te ha bendecido!

Mis Notas:
_____
_____
_____
_____
_____
_____
_____

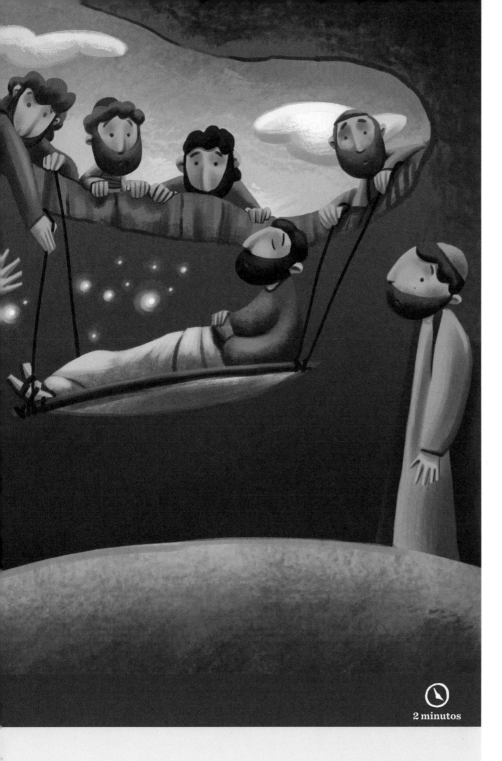

2 minutos

sugerencia

Aprenda a dar el regalo que usted nació para dar: su persona. No hay una manera más rápida de poder alcanzar el propósito de su vida que abrazando las oportunidades diarias que le da la vida para servir a quienes están a su alrededor. De manera especial, abrace cada oportunidad que tenga de servir a los niños antes que a usted. En cada momento que esté con ellos, elija ser su mejor yo. Permita que lo/a desafíen a convertirte en la persona que Dios lo/a creó para ser. Ayude a los niños a hacer lo mismo. Aquí hay una manera de comenzar: mientras los estudiantes responden su pregunta acerca de cuál de los sacramentos están esperando recibir con ansias, prepárese con comentarios positivos. Por ejemplo, puede decir cosas como: "Esa es una buena respuesta. ¿Por qué ese es el que más te interesa?".

Las personas que sufren tienen algo que ofrecer a Dios. Cuando ellos logran soportar su sufrimiento, eso es un milagro diario.

San Andrés Bessette

27

VER Y DISCUTIR

Paso a Paso

1 Presente el Episodio 3 diciendo: "En este episodio, Sarah juega a buscar la pelota con Hemingway".

2 Vean el Episodio 3.

La vida es maravillosa pero breve. Cada día está lleno de un potencial inimaginable. La vida que Dios nos invita a vivir nos permite vivir cada momento de forma consciente y con un entusiasmo vibrante.

Redescubre el Catolicismo

28

A Dios Le Encanta Celebrar

Como católicos, celebramos muchas cosas. Celebramos la Pascua de Resurrección y la Navidad, celebramos los días de fiesta y los cumpleaños, celebramos a Dios y los unos a los otros. ¿Alguna vez te has preguntado por qué los católicos celebramos tanto? La razón es que a Dios le encanta celebrar.

Días Favoritos

Cada día es especial a su manera porque la vida es especial. Cada día de la vida debe ser atesorado. La vida es preciosa. La vida es sagrada. La vida es especial.

Mis Notas:

_____

_____

_____

_____

_____

_____

_____

_____

No obstante, todos tenemos favoritos — colores favoritos, canciones favoritas, y comida favorita. ¿Tienes días favoritos?

Cada año, algunos de mis días favoritos son: el día de Navidad, el de la Pascua de Resurrección, el de mi cumpleaños, y el día de fiesta de mis santos favoritos. ¿Cuáles son tus tres días favoritos de cada año?

Tu Día Especial

Dios le da a cada persona un día especial cada año. A ese día lo llamamos tu cumpleaños. ¿Qué te gusta hacer el día de tu cumpleaños? ¿Cuál es tu recuerdo favorito de ese día?

4 minutos

_____
_____
_____
_____
_____
_____
_____

sugerencia

¿Por qué los católicos celebran la vida de los santos? Por muchas razones. Pero la razón más importante, para usted y para los niños en este momento, es que ellos nos recuerdan que estamos personalmente invitados a llegar a ser santos. La meta de la vida cristiana es vivir una vida santa. Aquellos que han alcanzado esa meta son llamados santos. Ellos encontraron su propósito fundamental, persiguieron su propósito fundamental y celebraron su propósito fundamental. Los santos trabajaron silenciosamente para eliminar sus defectos y debilidades de carácter. Ellos se convirtieron en la mejor versión de sí mismos. Ellos hicieron vida el Evangelio con sus pensamientos, palabras y acciones. Y nosotros los celebramos porque nos recuerdan que podemos hacer lo mismo.

Yo te alabo, Padre, Señor del Cielo y de la tierra, porque has mantenido ocultas estas cosas a los sabios y entendidos y las has revelado a la gente sencilla. Sí, Padre, pues así fue de tu agrado.

Mateo 11, 25

LEER Y EXPLORAR

Paso a Paso

1 Antes de leer la historia de Zaqueo cree expectativa en los niños diciendo: "Pongan mucha atención a lo que le sucede a Zaqueo después de encontrarse por primera vez con Jesús".

2 Lea en la página 30, la historia de cuando Zaqueo se encontró por primera vez con Jesús.

¿No crees que es hora de que te entregues a Dios por completo, de una vez por todas?

Semillas de Mostaza

La Primera Vez

La primera vez es importante. La primera vez que tú haces algo es muy importante. Solo hay una primera vez y tú no puedes tener otra nuevamente.

A través de los Evangelios muchas veces escuchamos historias fabulosas sobre la primera vez que las personas se encontraron con Jesús. Uno de esos grandes ejemplos es la historia de Zaqueo, un recolector de impuestas que era conocido por ser un hombre muy deshonesto.

Un día cuando Jesús estaba caminando, una gran multitud lo seguía, haciendo muy difícil que cualquier persona lo pudiera ver. Zaqueo quería tanto ver a Jesús que se subió a un árbol para poder verlo aunque sea de lejos.

Ese primer encuentro con Jesús cambió la vida de Zaqueo. El renunció a sus formas deshonestas e hizo todo lo posible para compensar todo lo que había hecho mal.

Mis Notas:

_____

_____

_____

_____

_____

_____

_____

_____

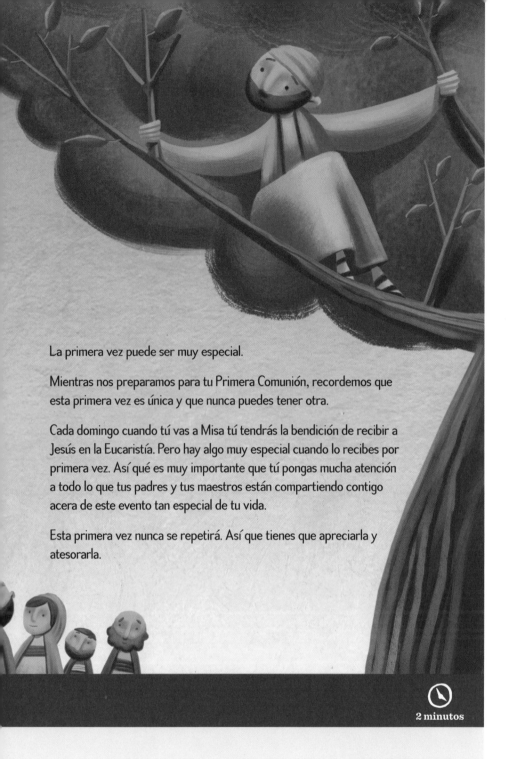

La primera vez puede ser muy especial.

Mientras nos preparamos para tu Primera Comunión, recordemos que esta primera vez es única y que nunca puedes tener otra.

Cada domingo cuando tú vas a Misa tú tendrás la bendición de recibir a Jesús en la Eucaristía. Pero hay algo muy especial cuando lo recibes por primera vez. Así qué es muy importante que tú pongas mucha atención a todo lo que tus padres y tus maestros están compartiendo contigo acera de este evento tan especial de tu vida.

Esta primera vez nunca se repetirá. Así que tienes que apreciarla y atesorarla.

2 minutos

_____

_____

_____

_____

_____

_____

_____

sugerencia

Los números de página de su libro coinciden con los números de página del libro de trabajo del estudiante. Así que la historia de Zaqueo aparece en las páginas 30 y 31 en ambos libros: el suyo y el de los estudiantes.

Nunca te preocupes por los números. Ayuda a una persona a la vez y siempre comienza con la persona más cercana a ti.

Santa Teresa de Calcuta

LEER Y EXPLORAR

Paso a Paso

1 Pregúnteles a los niños: "¿Tienen un santo o santa favorito?, ¿quién es?, ¿por qué ese santo o santa los inspira?".

Durante dos mil años, los campeones del cristianismo, los hombres y las mujeres que llamamos santos, han ido al aula del silencio, se han mirado a ellos mismos con humildad y honestidad y han evaluado sus propias fortalezas y debilidades. Así, armados con este conocimiento, se han propuesto valientemente transformar sus debilidades en fortalezas, sus vicios en virtudes.

Redescubre el Catolicismo

Días de Fiesta

A los católicos nos encanta celebrar. Así que tenemos planeado todo un año de celebraciones. Los puntos culminantes del año de la Iglesia son la Navidad y la Pascua de Resurrección. Pero también celebramos a los grandes campeones espirituales de nuestra familia católica. A estos hombres, mujeres, y niños los llamamos ¡santos!

¿Quién es tu santo favorito? ¿Cuándo es su día de fiesta? ¿Por qué te inspira este santo?

Mis Notas:

_____

_____

_____

_____

_____

_____

2 minutos

sugerencia

Deles a los niños un momento para explorar la ilustración. Puede que ellos quieran saber quiénes son los santos que están en la página. Ellos aparecen en el siguiente orden de izquierda a derecha: San Patricio (Patrono de Irlanda), Santa Teresita de Liseaux (Patrona de los Misioneros), Santa Teresa de Calcuta (Madre Teresa), San Pedro (el primer Papa), María (Madre de Dios), San Jorge (Antiguo soldado romano), San Miguel Arcángel (el Gran Guerrero), San Francisco (el fundador de la orden Franciscana), San Juan Crisóstomo (conocido por su escritura y predicación), Santo Domingo (fundador de los Dominicos), San Juan Pablo II (El Gran Papa de 1978–2005) y Santo Tomás Moro (Mártir del siglo XVI). Es probable que los niños hagan preguntas sobre los santos, y está bien si usted no sabe las respuestas. Escriba las preguntas y prométales que les dará las respuestas en la siguiente clase.

No olvidemos nunca que si queremos morir como los santos, debemos vivir como ellos

Santa Teodora Guérin

33

LEER Y EXPLORAR

Paso a Paso

1 Tomen otro descanso para iestiramientos! Ponga música e invite a los niños a ponerse de pie. Guíelos en un estiramiento y en algunos pasos de baile, para sacudir el exceso de energía. Anímelos a tratar de estirarse hasta alcanzar el cielo, a mover los hombros hacia delante y hacia atrás, y a dar algunos saltos en su lugar. Si es posible, ponga la canción titulada "Gratitud" de *Dios Te ha Bendecido: una colección de canciones para los jóvenes de corazón*. Y hágales saber a los niños que ellos tienen su permiso para idivertirse!

El tiempo es un regalo precioso. Es tan precioso que Dios te lo dispensa un segundo a la vez. No pierdas el tiempo.

Semillas de Mostaza

El Día Favorito de Dios

A Dios le encanta pasar tiempo con nosotros. A Él le encanta que pasemos unos minutos hablando con Él cada día. Le encanta cuando vamos a visitarlo en la iglesia el domingo. Le encanta pasar tiempo contigo. Dios sonríe cuando Él te ve llegar a Misa el domingo.

El domingo es el día favorito de Dios.

Mis Notas:

_____

_____

_____

_____

_____

_____

sugerencia

Una de las cosas más importantes que usted puede hacer para ayudar a fomentar el buen comportamiento en el aula es desarrollar una rutina. ¿Por qué? Porque las rutinas ayudan a los niños a practicar el autocontrol, reducen la oportunidad de luchas de poder y permiten que los niños se sientan relajados en un entorno nuevo. A continuación hay una lista de posibles rutinas que usted puede establecer en el aula. Algunas de estas rutinas funcionarán para su clase y otras no. Eso está bien. El punto es que la experiencia de la Primera Comunión de los niños mejorará significativamente con la presencia de rutinas establecidas.

- ENTRAR Y SALIR DEL AULA SILENCIOSAMENTE Y EN UNA SOLA FILA.

- ASIENTOS ASIGNADOS.

- UNA SEÑAL QUE LES INDICA A LOS NIÑOS QUE TIENEN QUE CALMARSE Y ENFOCAR SU ATENCIÓN EN USTED.

- SI ALGUIEN TERMINA UNA ACTIVIDAD ANTES DEL RESTO DEL GRUPO, SE LE ANIMA A EXPLORAR EL RESTO DE SU LIBRO DE TRABAJO.

- APAGAR LAS LUCES ANTES DE INICIAR UN EPISODIO DE LA SERIE ANIMADA DIOS TE HA BENDECIDO.

1 minuto

VER Y DISCUTIR

Paso a Paso

1 Introduzca el Episodio 4 diciendo: "En este episodio, Ben, Max y Elijah tienen una sorpresa especial para el dormilón de Tiny. Cuando se den cuenta de lo que es, guárdenselo para sí mismos. Nosotros hablaremos de eso después".

2 Vean el Episodio 4.

¿Cuántos domingos te quedan? No desperdicies ni uno solo.

Punto Decisivo

¿Qué Hace que el Domingo sea Especial?

El domingo es un día especial.

La mayoría de las personas solo disfrutan alrededor de cuatro mil domingos en toda su vida. Eso pareciera que son muchos domingos, pero la verdad es que se pasan muy rápidamente. Probablemente, tú ya has experimentado unos 420 domingos. Así que no desperdicies ni uno solo. Haz que cada domingo sea un día especial

Mis Notas:

_____

_____

_____

_____

_____

_____

_____

¿Cuáles son tres cosas que tú puedes hacer para que domingo sea un día especial?

Ir a la iglesia, pasar tiempo con tu familia y descansar.

Hay muchos días especiales, pero la mayoría de ellos pasan solamente una vez al año, y algunos pasan solo una vez en tu vida. Una de las cosas hermosas acerca del domingo es que pasa cada semana.

El domingo es el *Sabbath*. El *Sabbath* es un día especial de descanso y adoración.

Todos necesitamos hacer una pausa de vez en cuando para descansar. Cada noche descansamos durmiendo. Y una vez a la semana, Dios quiere que descasemos de una manera especial para que nos llenemos de alegría y compartamos esa alegría con todas las personas que llegan a nuestra vida.

La primera historia de la Biblia nos habla sobre como Dios creó al mundo. Él terminó la creación en el sexto día, y la Biblia nos dice que Él descansó en el séptimo día. Es por eso que descansamos el domingo. El descanso es santo.

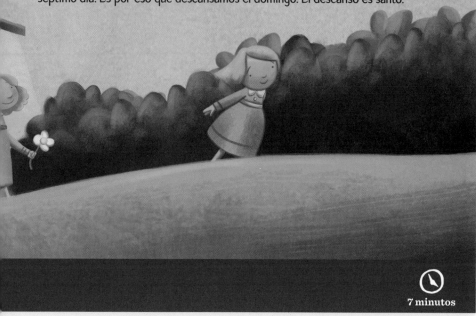

7 minutos

_____
_____
_____
_____
_____
_____
_____

sugerencia

Desde el principio Dios apartó el *Sabbath* para ser sagrado. Si el tiempo lo permite, hable acerca de Éxodo 20, 11: "Porque en seis días el Señor hizo los cielos y la tierra, el mar y todo lo que hay en ellos, pero descansó en el séptimo día. Por lo tanto, el Señor bendijo el día de reposo y lo santificó".

Acuérdate del día del Sabbath, para santificarlo.

Éxodo 20,8

LEER Y EXPLORAR

Paso a Paso

1 Pídale a seis voluntarios que lean en voz alta las seis maneras en que podemos cuidarnos a nosotros mismos.

2 Pregúntele a los niños: "¿Por qué están más agradecidos hoy?".

Dios ama a un dador alegre, pero también ama a quienes saben recibir con gentileza y agradecimiento.

Semillas de Mostaza

Dios te ama tanto que quiere que te cuides mucho.

Nosotros nos cuidamos:

° Comiendo bien
° Tomando mucha agua
° Haciendo ejercicio regularmente
° Rezando todos los días
° Durmiendo lo necesario
° Descansando los domingos

Mis Notas:

_____

_____

_____

_____

_____

_____

_____

_____

El domingo también es un día de adoración. Vamos a Misa para rendirle culto a Dios, para adorarlo. Hay muchas maneras de hacerlo, pero una manera de hacerlo todos los días es dándole gracias por las muchas formas en que nos ha bendecido.

¿Has contado tus bendiciones hoy? ¿Por qué estás más agradecido/a hoy?

Una de las cosas que hace que el domingo sea un día especial es que vamos a la iglesia. Nosotros alabamos y le damos gracias a Dios asistiendo a Misa cada domingo. ¿Cuál es el nombre de la iglesia a la que vas a Misa los domingos?

2 minutos

_____
_____
_____
_____
_____
_____
_____

sugerencia

De vez en cuando, el material de este libro debe desafiarlo a usted, como líder, tanto como desafía a los niños. Este debería ser uno de esos momentos. ¿Cuántos domingos le quedan? ¿Cuándo fue la última vez que el *Sabbath* fue realmente un día de reposo para usted? ¿Es el domingo un día especial en su casa? Tómese un tiempo para reflexionar sobre la importancia que usted le da a al domingo.

Vengan a mí los que van cansados, llevando pesadas cargas, y yo los aliviaré. Carguen con mi yugo y aprendan de mí, que soy paciente y humilde de corazón, y sus almas encontrarán descanso. Pues mi yugo es suave y mi carga liviana.

Mateo 11, 28–30.

VER Y DISCUTIR

Paso a Paso

1 Presente el Episodio 5 diciendo: "¿Alguna vez se han preguntado cómo Dios creó el mundo? Bueno, ¡descubrámoslo juntos!".

2 Vean el Episodio 5.

La súplica de Dios a la humanidad siempre ha sido un llamado a entrar y descubrir la verdad sobre nosotros mismos: hemos sido creados a imagen y semejanza de Dios.

Semillas de Mostaza

De la Biblia: La Creación

El primer día Dios creó el día y la noche, la luz y el tiempo.

El segundo día Dios creó el cielo.

El tercer día Dios creó la Tierra, los mares, las plantas, y los árboles.

El cuarto día Dios creó el sol, la luna, y las estrellas.

El Quinto día Dios creó las aves y los peces.

El sexto día Dios creó el ganado, los insectos, los animales salvajes, y los seres humanos.

Y Dios no solo nos creó; Él nos creó a su propia imagen.

¿Qué significa que fuimos creados a imagen de Dios? Quiere decir que Dios nos hizo parecidos a Él. Nosotros podemos razonar, podemos soñar, sabemos distinguir el bien del mal, somos capaces de ser santos, y de desarrollar amistades saludables.

Mis Notas:

_____

_____

_____

_____

_____

_____

_____

Estar hechos a imagen de Dios es una gran bendición, y las bendiciones conllevan responsabilidades. Dios hizo a la humanidad responsable de la administración de la creación. Él nos dio la mente y los valores morales necesarios para cuidar de toda la creación.

Cuando Dios había terminado el trabajo de la creación, "Dios vio que todo cuanto había hecho era muy bueno" (Génesis 1,31).

Dios dijo — ¡Es bueno! Y bendijo la creación.

En el séptimo día Dios descansó. Lo llamamos el *Sabbath*, que significa día de descanso y oración.

5 minutos

_____

_____

_____

_____

_____

_____

sugerencia

El quinto episodio de cada sesión de este libro de trabajo es una historia de la Biblia. ¿Por qué? Cincuenta años de investigación muestran que los niños prosperan con la rutina. Nuestra propia investigación, en Dynamic Catholic, muestra que crear conexiones fuertes entre las historias de la Biblia y la vida diaria es algo crítico si queremos que los católicos se conviertan en lectores de por vida de las Sagradas Escrituras. Nada acerca de *Dios Te ha Bendecido* es aleatorio o accidental. Cada parte de este programa se ha diseñado para generar los resultados deseados. Tómese su tiempo con estos pasajes de la Biblia. Léalos lentamente como si nadie los hubiera escuchado antes. Una de las maneras en las que podemos mostrar respeto a la Palabra de Dios es siendo cuidadosos en la manera en que leemos. Recuérdeles a sus alumnos que la Biblia les ayudará a aprender valiosas lecciones de vida y formas de cómo acercarse a Dios. Comparta con la clase que a usted le hubiera gustado haberse sumergido en la sabiduría de la Biblia desde que era pequeño/a, o cuánto disfruta leer la Biblia.

LEER Y EXPLORAR

Paso a Paso

1 Pregúnteles a los niños: ¿Cuál es una de las razones por las que vamos a la iglesia el domingo?

- ¡PARA DARLE GRACIAS A DIOS POR TODAS LAS FORMAS EN QUE NOS HA BENDECIDO ESTA SEMANA!

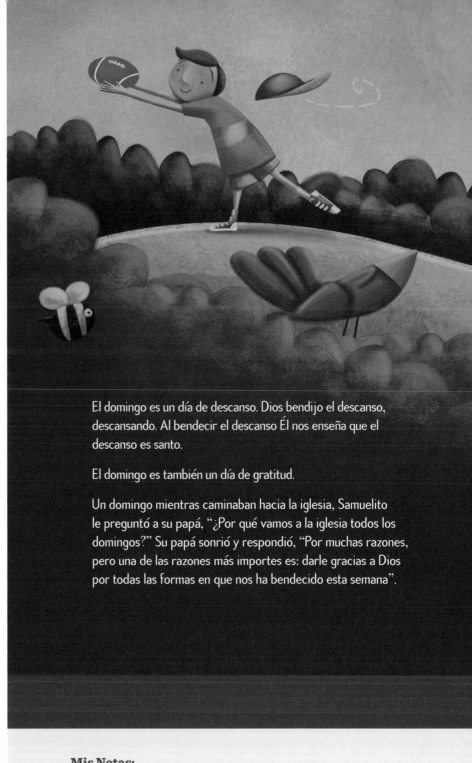

El domingo es un día de descanso. Dios bendijo el descanso, descansando. Al bendecir el descanso Él nos enseña que el descanso es santo.

El domingo es también un día de gratitud.

Un domingo mientras caminaban hacia la iglesia, Samuelito le preguntó a su papá, "¿Por qué vamos a la iglesia todos los domingos?" Su papá sonrió y respondió, "Por muchas razones, pero una de las razones más importes es: darle gracias a Dios por todas las formas en que nos ha bendecido esta semana".

Pídale al Espíritu Santo que lo guíe y lo aconseje y se encontrará tomando mejores decisiones

Punto Decisivo

Mis Notas:

_____

_____

_____

_____

_____

_____

_____

¡Toda bendición viene de Dios!

¿Alguna vez le diste un regalo a alguien que no lo agradeció? Tal vez no dijo gracias, o quizás lo tiró a un lado como si fuera basura. ¿Cómo te hizo sentir eso?

Dios nos ha bendecido con tantos regalos. Ir a Misa el domingo es una excelente manera de mostrarle a Dios que estamos agradecidos.

3 minutos

sugerencia

Cuénteles a los niños sobre alguna una ocasión en la que usted le dio un regalo a alguien que no lo apreció. Comparta con ellos cómo eso lo/a hizo sentir. Cuando termine, establezca la conexión entre cómo se sintió, y cómo se debe de sentir Dios cuando no lleguemos a la iglesia los domingos.

Tratemos de animarnos el uno al otro en la forma de amar y hacer el bien.

Hebreos 10, 24

VER Y DISCUTIR

Paso a Paso

1 Presente el Episodio 6 diciendo: "¿Alguna vez han querido escuchar la voz de Dios en sus vidas? Sí es así, muéstrenme sus pulgares hacia arriba. Si la respuesta es no, muéstreme los pulgares hacia abajo. "¡Yo tengo mis pulgares hacia arriba! ¡En el siguiente episodio, Ben y Sarah nos muestran cómo!".

2 Vean el Episodio 6.

Haríamos bien en aprender a escuchar los deseos más profundos de nuestros corazones, y deberíamos seguirlos dondequiera que nos lleven, sin importar el costo o el sacrificio que implican.

El Ritmo de la Vida

44

Escuchando a Dios en la Misa

Alguna vez te has preguntado, "¿Cómo es Dios en realidad?" Es una gran pegunta. Sabemos muchas cosas sobre Dios y aún es un hermoso misterio, porque aun así todavía no sabemos todo acerca de Él.

Sabemos que Dios es amor. Que Dios cumple sus promesas. Sabemos Dios se preocupa por cada persona. Sabemos que Dios lo sabe todo. Sabemos que Dios es santo. Sabemos que Dios es todopoderoso. Sabemos que Dios tiene un plan y sabemos que Dios es inmutable.

En la Biblia leemos como Dios le habló a Adán y a Eva, Noé, Abraham, Moisés, Isaac, Jacob, Rebeca, María, y a muchos otros.

¿Recuerdas la última cosa que dijimos que sabemos sobre Dios?

Dios es inmutable.

Y así como le habló a personas en la antigüedad, le habla a las personas en todos los tiempos, y nos habla a ti y a mí hoy. Él nos habla a través de las Escrituras. Él nos habla a través de otras personas. Él nos habla a través de la Iglesia y Él nos habla en nuestro corazón.

El domingo, en la Misa, Dios quiere hablarte a ti. A mí me gusta llevar un pequeño diario conmigo a la Misa para anotar lo que Él me dice en mi corazón.

Mis Notas:

_____

_____

_____

_____

_____

_____

_____

Al inicio de la Misa yo le pido: "Dios, por favor, en esta Misa, muéstrame una manera de convertirme en la-mejor-versión-de-mí-mismo esta semana". Entonces escucho las lecturas, las oraciones, la música, la homilía, y el silencio de mi corazón, y escribo lo que siento que Dios me está diciendo.

Cada domingo, en la Misa, escribe en tu Diario de la Misa una cosa que Dios te dice. Te asombrará cómo Dios te anima y te reta a convertirte en la-mejor-versión-de-ti-mismo/a, a crecer en la virtud, y a vivir una vida santa.

Cada día es un nuevo día en tu camino con Dios — y cada día Dios tiene un mensaje que está tratando de compartir contigo.

5 minutos

sugerencia

Más adelante, habrá una discusión más extensa sobre lo que es el Diario de la Misa. Si usted nunca ha usado uno, este es el momento de hacerlo. ¿No cree usted que sería aún más impactante la lección si usted les muestra a los niños su propio Diario de la Misa? ¡Usted podría compartir con ellos cómo Dios le está hablando! Para mayor información sobre el Diario de la Misa, vea la página 62.

De todas las actividades humanas, escuchar a Dios es el acto supremo de razonamiento y voluntad que el ser humano puede hacer.

Papa Pablo VI

45

MUESTRA LO QUE SABES

Step-by-Step

1 Pídales a los niños que completen la página de actividades, ya sea ellos solos, con un compañero/a o en grupo.

2 Después de tres minutos pregúntele a la clase: "¿Hay algunas preguntas con las que tengan dificultad?".

3 Brevemente responda las preguntas que ellos tengan y refiéralos a la página correspondiente a la pregunta en el libro de trabajo.

Tus debilidades son la clave para el grandioso e inimaginable futuro que Dios ha previsto para ti.

Redescubre el Catolicismo

Muestra lo que Sabes

Verdadero o Falso

1. __V__ Tu estas caminando con Dios hacia tu Primera Comunión. (p 2)

2. __V__ Dios te ha bendecido. (p 3)

3. __F__ A Dios nunca le gusta celebrar. (p 28)

4. __V__ Tú tendrás solamente una Primera Comunión en tu vida. (p 31)

5. __V__ El domingo es un día para mostrar gratitud. (p 42)

Llena los Espacios en Blanco

1. Tú estás en un gran _____caminar_____ con Dios. (p 25)

2. Una de las grandes bendiciones que recibirás en tu vida es la _____Eucaristía_____. (p 2)

3. Dios está _____invitándote_____ a un gran banquete. (p 2)

4. Una manera de rendirle culto a Dios cada día es contando tus _____bendiciones_____. (p 39)

5. 5. Después que Dios terminó el trabajo de la Creación, dijo que todo era _____bueno_____, ¡hasta los insectos! (p 41)

Mis Notas:

_____

_____

_____

_____

_____

_____

_____

_____

_____

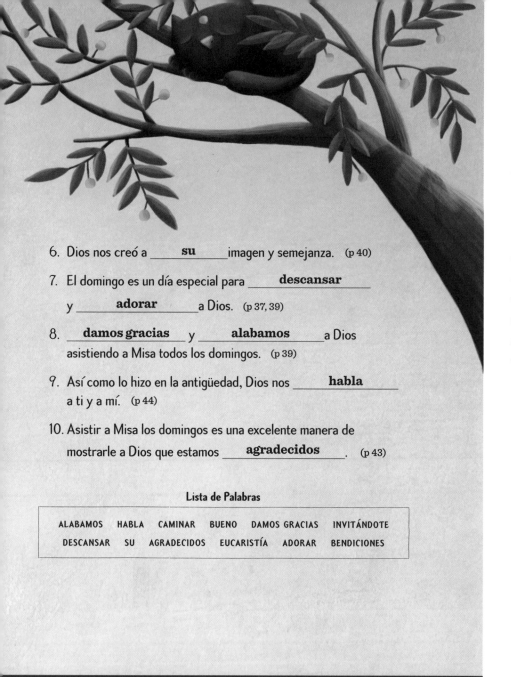

6. Dios nos creó a ___**su**___ imagen y semejanza. (p 40)

7. El domingo es un día especial para ___**descansar**___ y ___**adorar**___ a Dios. (p 37, 39)

8. ___**damos gracias**___ y ___**alabamos**___ a Dios asistiendo a Misa todos los domingos. (p 39)

9. Así como lo hizo en la antigüedad, Dios nos ___**habla**___ a ti y a mí. (p 44)

10. Asistir a Misa los domingos es una excelente manera de mostrarle a Dios que estamos ___**agradecidos**___. (p 43)

Lista de Palabras

ALABAMOS	HABLA	CAMINAR	BUENO	DAMOS GRACIAS	INVITÁNDOTE
DESCANSAR	SU	AGRADECIDOS	EUCARISTÍA	ADORAR	BENDICIONES

1 minuto

_____
_____
_____
_____
_____
_____
_____

sugerencia

Esta es una sesión muy larga y por eso solo se ha asignado un minuto para completar esta actividad. Un minuto no le será suficiente a menos que usted este adelantado/a en el horario propuesto. De manera que lo mejor será que les pida a los niños que completen esta actividad en casa. Antes de iniciar la próxima clase asegúrese de que ellos hayan finalizado la tarea.

Oh Dios mío, déjame recordar con gratitud y confesar tus misericordias hacia mí.

San Agustín de Hipona

DIARIO CON JESÚS

Paso a Paso

1 Invite a los niños a escribirle una carta a Jesús.

2 Ayúdelos haciendo una lluvia de ideas sobre algunas cosas que quizás ellos quieran decir. Dígales que no se tienen que preocupar por escribir correctamente y que centren su atención en decir lo que sienten.

3 Pídales que permanezcan en silencio mientras escriben en su diario.

4 Sí usted lo desea puede poner música tranquila de fondo para ayudar a crear un ambiente propicio a la reflexión y motivar a los estudiantes a permanecer en silencio y enfocados en el diario con Jesús.

El Evangelio está vivo y activo. Tiene el poder de transformar nuestras vidas, nuestras comunidades, nuestras naciones e incluso el mundo entero.

Redescubre el Catolicismo

Mis Notas:

_____

_____

_____

_____

_____

_____

_____

_____

Diario con Jesús

Querido Jesús,

Los domingos son especiales porque . . .

_____

_____

_____

_____

_____

_____

_____

🕐
3 minutos

_____

_____

_____

_____

_____

Cuanto más dejamos que Dios nos lleve, más auténticamente nos convertimos en nosotros mismos, porque Él nos creó. Él nos inventó . . . es cuando yo me vuelvo a Cristo, cuando yo me entrego a su persona, que yo empiezo a tener una verdadera personalidad propia.

C.S. Lewis

49

ORACIÓN FINAL

Paso a Paso

1 Introduzca el Episodio 7 diciendo: "Es hora de la oración final. Vamos a calmarnos y prepararnos para orar con Sarah".

2 Vean el Episodio 7.

3 Pregúnteles a sus niños: "¿Cuáles son algunas de las cosas más importantes que aprendieron en esta sesión?"

- LA EUCARISTÍA ES UNA DE LAS MAYORES BENDICIONES EN LA VIDA.

- EL DOMINGO ES EL DÍA FAVORITO DE DIOS.

- A DIOS LE GUSTA PASAR TIEMPO CONMIGO Y LE ENCANTA VERME EN MISA EL DOMINGO.

- IR A MISA LOS DOMINGOS ES UNA EXCELENTE MANERA DE MOSTRARLE A DIOS LO AGRADECIDO/A QUE ESTOY.

Oración Final

Cuando el hijo de Zacarías, Juan el Bautista, nació, Zacarías desbordaba de gratitud. Después de meses sin poder hablar, Zacarías estalló en un canto de alabanzas, dándole gracias a Dios por el regalo increíble que le había dado.

Zacarías nos recuerda la importancia de expresarle nuestra gratitud a Dios.

Jesús está siempre con nosotros en la Eucaristía. ¡Este es un regalo increíble! Para mostrarle a Dios cuán agradecidos estamos por el regalo de Jesús, alabémosle usando las palabras de Zacarías:

Mis Notas:

_____

_____

_____

_____

_____

_____

_____

Bendito sea el Señor,
el Dios de Israel,
porque ha visitado y redimido a su pueblo,
y nos ha dado un poderoso Salvador
en la casa de David, su servidor,
como lo había anunciado mucho tiempo antes,
por boca de sus santos profetas,
para salvarnos de nuestros enemigos
y de las manos de todos los que nos odian.
Así tuvo misericordia de nuestros padres
y se acordó de su santa Alianza,
del juramento que hizo a nuestro padre Abraham
de concedernos que, libres de temor,
arrancados de las manos de nuestros enemigos,
lo sirvamos en santidad y justicia,
bajo su mirada,
durante toda nuestra vida.

Lucas 1,68-75

3 minutos

sugerencia

Agradézcales a sus niños por su asistencia. Nunca deje de agradecerles por venir. Dígales lo mucho que disfruta su tiempo con ellos. Identifique un momento de la clase que usted considera que fue particularmente impactante. Recuérdeles que usted está rezando por ellos.

Uno debe arreglar su vida de manera que todo alabe a Dios.

San Juan Pablo II

2

El Evento Más Grande Sobre la Tierra

OBJETIVOS

- **PROCLAMAR** la Misa como el evento más increíble sobre la tierra.

- **EXPLICAR** que pasar tiempo con Dios nos llena de la gracia que necesitamos para poder vivir vidas santas.

- **ENSEÑAR** que aprender a escuchar la voz de Dios es una de las grandes lecciones de vida.

- # Jesús quiere que usted tenga éxito.
- # La gratitud es una herramienta poderosa.

BIENVENIDA

Ante usted está la oportunidad sagrada de servir a los hijos de Dios. Ellos tienen un lugar especial en el corazón de Dios y merecen saber cuánto Él los ama.

Al decir sí a esta gran oportunidad, usted ha hecho una elección notable y altamente encomiable. **Gracias** por hacerlo.

Que quede claro que la tarea que tiene ante usted es muy grande. Pero no deje que esto lo/a preocupe. Después de todo, no está solo/a. Jesús quiere que usted tenga éxito.

En Mateo 19,14; Jesús dice: "Dejen que los niños vengan a mí . . . ".

Jesús quiere que sus pequeños hijos vengan a Él, y Jesús les ayuda de manera poderosa a aquellos que trabajan diligentemente por alcanzar esa meta. Por tanto, mientras prepara a estos niños para su Primera Comunión recuerde que Dios está con usted, llenándolo/a con la gracia que necesita para hacer lo mejor posible.

San Pablo, el gran evangelista y maestro, conocía los desafíos que enfrentan aquellos que buscan compartir la Buena Nueva. El siguiente párrafo es una parte de su carta a los Colosenses. Que esta oración haga eco a través de los siglos y se hunda profundamente en su corazón.

Que la paz de Cristo reine en sus corazones: esa paz a la que han sido llamados, porque formamos un solo Cuerpo. Y vivan en la acción de gracias. Que la Palabra de Cristo resida en ustedes con toda su riqueza. Instrúyanse en la verdadera sabiduría, corrigiéndose los unos a los otros. Canten a Dios con gratitud y de todo corazón salmos, himnos y cantos inspirados. Todo lo que puedan decir o realizar, háganlo siempre en nombre del Señor Jesús, dando gracias por Él a Dios Padre.

Colosenses 3, 15–17

Icono Oración

Leer y Explorar

Ver y Discutir

Muestra lo que Sabes

Diario con Jesús

Medidor de Tiempo

ORACIÓN DE APERTURA

Paso a Paso

1 Reúna a los alumnos para hacer la oración.

2 Espere hasta que ellos estén tranquilos. No los apresure, la reverencia requiere paciencia y práctica. Antes de leer la oración en voz alta, respire profundamente para crear un momento adicional de silencio. Nunca se sabe lo que Dios podría decirles a sus estudiantes (o ia usted!) cuando se abre la oportunidad.

Independientemente de lo grandioso que sea el plan que tú has creado para ti con tu gran imaginación, Dios ha planeado algo mucho mejor. Pero solo si tú te entregas.

Semillas de Mostaza

Mis Notas:

_____
_____
_____
_____
_____
_____
_____
_____

2

El Evento Más Grande Sobre la Tierra

Dios nuestro, Padre amoroso,
gracias por todas las formas en que me bendices.
Ayúdame a estar consciente de que cada persona,
cada lugar, y cada aventura que experimento
es una oportunidad para amarte más.
Lléname con el deseo de cambiar y crecer,
y dame la sabiduría para escoger ser
la-mejor-versión-de-mí-mismo/a en
cada momento de cada día.

Amén.

4 minutos

sugerencia

Las instrucciones específicas ayudan a que los estudiantes sepan claramente lo que hay que hacer. Aquí hay dos ejemplos de instrucciones directas y específicas:

1. "No estamos hablando en este momento; estamos rezando".

2. "Estoy esperando a que todos cierren los ojos para comenzar".

Estén siempre alegres. Oren sin cesar. Den gracias a Dios en toda ocasión, porque esta es la voluntad de Dios para ti en Cristo Jesús.

1 Tesalonicenses 5, 16–18.

VER Y DISCUTIR

Paso a Paso

1 Presente el Episodio 1 diciendo: "En este episodio, Hemingway ayuda a Ben a resolver un desacuerdo entre Jessica y Max. Mientras lo ven, estén atentos a cuántos tipos de oración hay y luego me dicen cuántos pudieron contar".

2 Vean el Episodio 1.

3 Pregúnteles: "¿Cuántos tipos de oración hay? ¿Cuáles son los tipos de oración?"

- ACCIÓN DE GRACIAS

- PETICIÓN E INTERCESIÓN

- ALABANZA

- ADORACIÓN

Si necesitan ayuda para encontrar la respuesta, refiéralos a la página correspondiente en el libro de trabajo.

El amor desea lo que es bueno para la otra persona.

Punto Decisivo

La Oración Perfecta

Dios te ha bendecido. Una de las bendiciones más grandes que Dios nos da a los católicos es la Misa.

Hay muchos tipos distintos de oración. Hay oraciones de acción de gracias, en las que le damos gracias a Dios por todas las formas en que nos bendice. Hay oraciones de petición o intercesión, en las que le pedimos a Dios algún favor. Hay oraciones de alabanza, en las que alabamos a Dios por ser Dios. Y hay oraciones de adoración en las que adoramos a Dios.

Mis Notas:

_____

_____

_____

_____

_____

_____

_____

La Misa encierra cosas muy increíbles, una de ellas es que combina todas estas formas de oración. Y es por eso y por muchas cosas más que la Misa es la oración perfecta. Otra razón es porque en ella le presentamos una ofrenda perfecta a Dios. Jesús, quien murió por nosotros en la cruz, es esa ofrenda perfecta.

Cada vez que tu recibes a Jesús en la Sagrada Comunión, Dios te llena con su gracia de una manera especial, para que puedas convertirte en ¡la-mejor-versión-de-ti-mismo/a!

Ir a Misa cada domingo es un gran privilegio. La Misa es la oración perfecta. Es la manera perfecta de reunirnos como una comunidad de creyentes y alabar a Dios.

En la Misa recordamos la ultima cena de Jesús, su muerte en la cruz, y su Resurrección. También tenemos la oportunidad de Recibirlo a Él en la Eucaristía. La Eucaristía es una celebración del amor de Dios por nosotros y un recordatorio de que Dios siempre está con nosotros.

El día de tu Primera Comunión va a ser un día muy especial en tu vida.

10 minutos

sugerencia

Felicítelos. Sorpréndalos cuando hacen lo correcto. Esto le ayudará con el manejo del aula y en el fomento de la confianza. Algunos ejemplos son:

1. "Gracias, Cindy, por escuchar".

2. "Sam, me doy cuenta que realmente has puesto atención".

3. "Muy bien pensado Rachel. Esa es una respuesta contundente".

   "Realmente me gusta lo bien que este grupo está trabajando en este proyecto".

_____
_____
_____
_____
_____
_____
_____
_____

Si realmente entendiéramos la Misa, moriríamos de alegría.

San Juan Vianney

VER Y DISCUTIR

Paso a Paso

1 Introduzca el Episodio 2 diciendo: "En este episodio, Sarah y su padre van a la casa de Dios".

2 Vean el Episodio 2.

3 Pregúnteles: "¿Dónde está la casa de Dios?"
- ¡LA IGLESIA!

Enfatíceles que su propia parroquia es una de las casas de Dios.

Antes de tomar una decisión, especialmente una grande, es aconsejable que cada uno de nosotros nos tomemos un tiempo en el aula del silencio para escuchar la voz suave que hay dentro.

El Ritmo de la Vida

La Casa de Dios

¿Dónde celebramos la Misa? ¡En la casa de Dios! Así es.

La iglesia es la casa de Dios. Dios es tan brillante que, en su sabiduría todopoderosa, sabía que sería importante para nosotros pasar tiempo con Él en su casa.

¿Por qué? Bueno, ¿Alguna vez has notado que cuando estás alrededor de personas buenas, bondadosas, generosas, y consideradas, ellas te inspiran a ser bueno, bondadoso, generoso, y considerado también?

Cuando pasamos tiempo con Dios, Él nos inspira a ser buenos — y no simplemente buenos, sino lo mejor posible. Dios quiere que vivas la mejor vida imaginable y que te conviertas en la-mejor-versión-de-ti-mismo/a, crezcas en virtud y vivas una vida santa.

Mis Notas:

_____

_____

_____

_____

_____

_____

_____

Cuando pasamos tiempo con Dios, Él nos llena con su gracia para que podamos vivir una vida santa. Así que cada domingo nos invita a ir a su casa para una gran celebración. A esa celebración la llamamos la Misa. Pero Dios siempre está feliz de vernos. Es bueno ir a la iglesia durante la semana algunas veces, y sentarnos a hablar con Dios sobre lo que está pasando en nuestra vida. A Él Le encanta cuando le hablamos y le contamos lo que está pasando en nuestras vidas.

6 minutos

sugerencia

Una y otra vez a lo largo de los Evangelios leemos cómo Jesús se aparta a lugares tranquilos para orar. ¿Por qué Jesús se retira tan seguido para orar? Él se retiró a rezar, para poder concentrarse en su misión y para recordar lo que es realmente importante. De vez en cuando, todos nos confundimos sobre lo que es realmente importante. La oración nos ayuda a mantener las cosas en perspectiva. Dele a la oración un lugar central en su filosofía de enseñanza. Ore por los niños y sus familias. Rece con los niños y pídale al Espíritu Santo que lo/a acompañe de una manera poderosa a lo largo de este proceso.

Pero Él buscaba siempre lugares solitarios donde orar.

Lucas 5,16

VER Y DISCUTIR

Paso a Paso

1 Presente el Episodio 3 diciendo: "En este episodio, Tiny le pregunta a la Hna. Rosa si realmente tiene que ir a Misa todos los domingos. Veamos como ella responde esa pregunta".

2 Vean el Episodio 3.

3 Pregúnteles a los niños: "¿Cuál es una de las razones por las cuales es importante ir a Misa todos los domingos?".

- ¡PARA AGRADECERLE A DIOS POR TODAS LAS FORMAS EN QUE NOS BENDICE!

La capacidad de retrasar la gratificación está íntimamente relacionada con el éxito. Tú no puedes tener éxito en nada a menos que estés dispuesto y puedas retrasar la gratificación.

Resistiéndote a la Felicidad

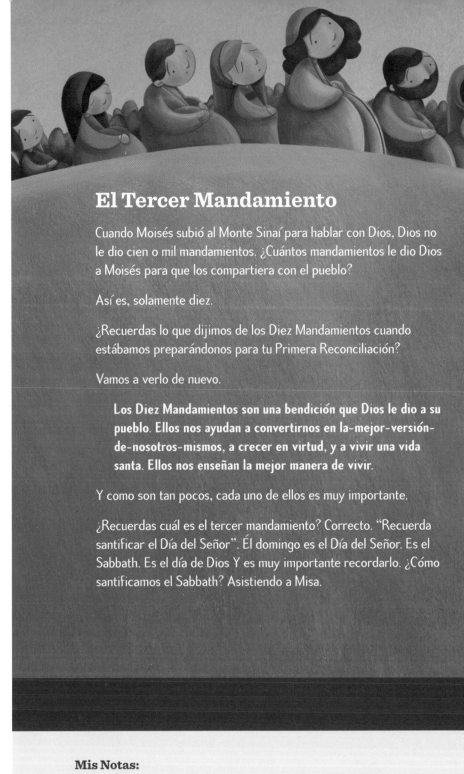

El Tercer Mandamiento

Cuando Moisés subió al Monte Sinaí para hablar con Dios, Dios no le dio cien o mil mandamientos. ¿Cuántos mandamientos le dio Dios a Moisés para que los compartiera con el pueblo?

Así es, solamente diez.

¿Recuerdas lo que dijimos de los Diez Mandamientos cuando estábamos preparándonos para tu Primera Reconciliación?

Vamos a verlo de nuevo.

> Los Diez Mandamientos son una bendición que Dios le dio a su pueblo. Ellos nos ayudan a convertirnos en la-mejor-versión-de-nosotros-mismos, a crecer en virtud, y a vivir una vida santa. Ellos nos enseñan la mejor manera de vivir.

Y como son tan pocos, cada uno de ellos es muy importante.

¿Recuerdas cuál es el tercer mandamiento? Correcto. "Recuerda santificar el Día del Señor". Él domingo es el Día del Señor. Es el Sabbath. Es el día de Dios Y es muy importante recordarlo. ¿Cómo santificamos el Sabbath? Asistiendo a Misa.

Mis Notas:

_____

_____

_____

_____

_____

_____

_____

_____

Ir a Misa es la cosa más importante del día domingo. Dios quiere vernos y pasar un tiempo con nosotros. Aún si tenemos un juego de fútbol o un día de campamento, la expectativa de Dios es que nosotros hagamos tiempo para ir a Misa.

Él te da vida cada momento del día. Él llena tu vida de oportunidades fabulosas. Él te bendice de tantas maneras. Y Él te pide que lo visites en su casa por una hora cada semana.

¿Cuántas horas hay en una semana? En una semana hay siete días, y cada día tiene veinticuatro horas: 7 x 24 = 168. De las 168 horas que hay en cada semana, Dios te pide que vayas a su casa por una hora. ¿Es eso mucho pedir?

Nosotros debemos de estar emocionados de llegar allí cada domingo para darle gracias a Dios por todas las formas en que nos ha bendecido, para darle gracias por la vida, y simplemente para estar un tiempo Él.

7 minutos

sugerencia

Mantenga su sentido del humor cerca de usted. Enseñar la fe católica es una tarea seria y muy importante, pero también se supone que sea divertido. Nunca pierda de vista la alegría que brinda el estar con niños pequeños. Cuando un niño/a haga algo gracioso, comparta su alegría. Si bien el sarcasmo no es recomendable para un grupo de esta edad, ¡la risa sí lo es!

Prueben y vean cuán bueno es el Señor; Felices los que en Él se refugian.

Salmo 34, 8

VER Y DISCUTIR

Paso a Paso

1 Introduzca el Episodio 4 diciendo: "¿Creen que Dios todavía le habla a su pueblo? Pulgares arriba si piensan que sí. Pulgares abajo si piensan que no. ¡Veamos el episodio y descubrámoslo juntos!".

2 Vean el Episodio 4.

3 Pregúnteles a los niños: "¿Qué les dijo Dios la última vez que estuvieron en la iglesia?". Después de una pregunta tan importante, asegúrese de darles un momento para pensar en ello. Prepárese usted también para responder la pregunta.

Cada cierto tiempo, es bueno que todos nosotros volvamos a aprender a escuchar. Escucha a los que amas. Escucha tu alma. Escucha a Dios.

Resistiéndote a la Felicidad

Escuchando a Dios

Cuando llegas a la iglesia cada domingo, es bueno dedicar unos minutos para estar tranquilo/a y en silencio antes de que empiece la Misa. Esto nos ayuda a oír lo que Dios quiere decirnos.

Dios nos habla de muchas maneras.

Dios nos habla a través Biblia. Él nos habla a través de la Iglesia. Él nos habla en nuestro corazón. Él nos habla a través de otras personas y a través de situaciones. Y le habla a nuestro corazón de una manera especial durante la Misa.

Aprender a escuchar la voz de Dios es una de las lecciones más importantes que podemos aprender en la vida, pero aprender a escuchar su voz toma mucha práctica. Una excelente manera de practicar es poniendo atención durante la Misa. Se podría decir que, vamos a Misa el domingo para que Dios nos dé instrucciones para la semana.

Mis Notas:

_____

_____

_____

_____

_____

_____

_____

_____

Probablemente Dios no se te aparecerá en persona a hablar contigo. Puede que Él te hable a través de una de las lecturas, o a través de la música o de la homilía, o simplemente en el silencio de tu corazón.

Dios puede decir, "quiero que practiques a ser más paciente con tu hermanito/a esta semana". Él puede decir, "quiero que escuches a tus padres y hagas lo que te pidan sin dudar". O puede decir, "quiero que disfrutes la naturaleza cuando estés de vacaciones esta semana".

Dios tiene un mensaje especial para nosotros cada semana. Es por eso que es tan importante ir a Misa todos los domingos. Sin las instrucciones y las direcciones de Dios, nos perdemos.

Cada domingo, en la iglesia, Dios quiere decirte algo. Cada semana es algo único. Por eso te invita a ir a Misa cada domingo, para que puedas oír el mensaje especial que el tiene para ti

La última vez que estuviste en la iglesia, ¿qué te dijo Dios? ¿Te acuerdas? ¿Estabas escuchando?

10 minutos

sugerencia

Quiero alentarlo/a a que repita esta pregunta: "¿Qué les dijo Dios la última vez que estuvieron en la iglesia?". Con mucha frecuencia vemos la repetición como algo malo, pero en realidad es una excelente herramienta que se encuentra a la disposición de todo maestro. Si usted les pregunta frecuentemente a los niños qué es lo que Dios les está diciendo, este pensamiento se abrirá paso en su psique. Y poco a poco, comenzarán a escuchar activamente lo que Dios les está diciendo.

Tanto como te sea posible, quédate a solas con Dios para poder escucharlo. Él te hablará en el silencio de tu corazón.

Santa Teresa de Calcuta

LEER Y EXPLORAR

Paso a Paso

1 Invite a los niños a explorar la ilustración.

2 Actividad: SIMÓN DICE. Para jugar realice un movimiento rápido como tocarse la nariz y pídales a los niños que hagan lo mismo. Los niños deben tocarse la nariz solo si usted dice primero la frase, "Simón dice". Si algún niño/a se toca la nariz sin que usted haya dicho "Simón dice", él o ella tendrán que salir del juego y regresar a su silla. Haga los movimientos con rapidez para que sea más difícil y más divertido. Mientras más chistoso sea el movimiento, más divertido será el juego. Jueguen hasta que todos los niños estén sentados o hayan pasado al menos dos minutos.

El cristianismo es inconveniente. Pero te traerá un gozo que ni tú te puedes imaginar.

Punto Decisivo

Tu Diario de la Misa

¿Alguna vez has sentido que Dios está tratando de decirte algo?

Dios siempre está tratando de hablarnos, pero aprender a escuchar a Dios y entender las diferentes maneras en que Él nos habla, toma mucho tiempo y práctica.

Dios le habló a Jonás y le dio una misión muy especial que había planeado especialmente para él. Jonás no estaba feliz con lo que Dios le estaba pidiendo que hiciera, así que en lugar de escuchar a Dios, Jonás trató de huir.

Pero Dios no se dio por vencido con Jonás. En lugar de eso, ¡Dios envió una ballena gigante para que se tragara completamente a Jonás! Por tres días y tres noches Jonás vivió en el estomagó de la ballena. Cuando finalmente Jonás empezó a escuchar a Dios, Dios rescató a Jonás de la ballena y lo envió a cumplir su misión.

Mis Notas:

_____

_____

_____

_____

_____

_____

5 minutos

La palabra del Señor fue dirigida a Jonás, hijo de Amitai.

Jonás 1, 1

63

LEER Y EXPLORAR

Paso a Paso

1 Pregúnteles a los niños: "¿Cuál es una de las razones por las que vamos a Misa el domingo?".

  • PARA ESCUCHAR LA VOZ DE DIOS

2 Si ellos tienen problemas en responder la pregunta, pídale a uno de los niños que lea la última oración del párrafo.

Desarrolle la capacidad de decir todo sin decir nada. La acción es la voz que más suena.

Semillas de Mostaza

Dios siempre le ha hablado a su pueblo. Dios quiere hablarte a ti también.

El próximo domingo, lleva contigo a Misa un librito de notas. Ese será tu Diario de la Misa. Escucha la música, escucha las lecturas, escucha la homilía, y escucha tu corazón. Antes de que inicie la Misa, reza: "Querido Dios por favor, en esta Misa, muéstrame una manera en que esta semana yo pueda convertirme en la-mejor-versión-de-mí-mismo/a.

Luego, escucha pacientemente, y cuando sientas una cosa que Dios te está diciendo, escríbela. Durante el resto de la Misa, continúa rezando y pídele a Dios que te ayude a cambiar o hacer lo que Él te está pidiendo hacer o cambiar durante la semana.

Hay muchas razones maravillosas por las que vamos a Misa los domingos, una de ellas es escuchar la voz de Dios.

Mis Notas:

_____

_____

_____

_____

_____

_____

_____

_____

5 minutos

¿Cuál es su forma favorita de escuchar la voz de Dios? ¿Durante la Misa del domingo?, ¿cuándo está sentado/a en silencio en la iglesia?, ¿cuándo hace sus oraciones en casa?, ¿leyendo las Escrituras?, o ¿tiene alguna otra manera? Sea cual sea, compártala con los niños.

Si deseamos progresar en el servicio de Dios, debemos comenzar todos los días de nuestra vida con un nuevo entusiasmo.

San Carlos Borromeo

VER Y DISCUTIR

Paso a Paso

1 Introduzca el Episodio 5 diciendo: "Espero que estén tan emocionados como yo por escuchar la historia de: ¡los dos discípulos que se encuentran con Jesús en el camino a Emaús!"

2 Vean el Episodio 5.

Es a través de la oración, la reflexión, las Escrituras, la gracia de los sacramentos, la sabiduría de la Iglesia, y la guía del Espíritu Santo que descubrimos y recorremos el camino que Dios nos llama a caminar.

Redescubre el Catolicismo

De la Biblia: El Camino a Emaús

Unos días después de haber resucitado Jesús de entre los muertos, dos de sus discípulos estaban caminando de Jerusalén a un pueblo llamado Emaús. Estaban hablando de Jesús y de las cosas increíbles que habían pasado. Mientras hablaban, Jesús se acercó a ellos, mas sus ojos no lo reconocieron. Él les dijo, "¿De qué están hablando?"

Ellos se detuvieron y lo miraron. Entonces, uno de ellos dijo, "¿Eres tú la única persona en Jerusalén que no conoce las cosas que han pasado allí en los últimos días?"

Mis Notas:

_____

_____

_____

_____

_____

_____

_____

"¿Qué cosas?" Él les preguntó.

"Las cosas relacionadas con Jesús de Nazaret, un gran sabio y maestro, que murió y ahora ha resucitado de entre los muertos".

Entonces Jesús les habló de cómo era necesario que el Mesías sufriera antes de entrar en su gloria, y les explicó todos los lugares que se refieren a Él en las Escrituras.

A medida que se acercaban a Emaús, lo invitaron a comer y Él aceptó. Cuando estaba sentado a la mesa con ellos, tomó pan, lo bendijo y lo partió y se los dio. Entonces, sus ojos se abrieron y lo reconocieron, y Él desapareció.

Entonces se dijeron el uno al otro: "¿No sentíamos arder nuestro corazón cuando nos hablaba en el camino?".

Asombrados, se levantaron y regresaron a Jerusalén para contarle a los otros, "Hemos visto al Señor; Él ciertamente ha resucitado".

Adaptado de Lucas 24, 13-35

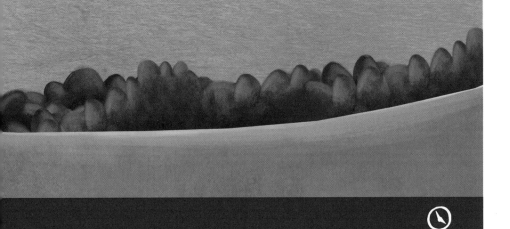

5 minutos

sugerencia

Hágales saber a los niños que ellos son importantes para usted. A ellos les importará más lo que usted enseña si saben que ellos son importantes para usted.

Jesús dijo: Yo soy la Resurrección y la Vida. Cualquiera que crea en mí, aunque muera, vivirá, y todo el que vive y cree en mí, no morirá jamás.

Juan 11, 25-26

LEER Y EXPLORAR

Paso a Paso

1 Lea el texto en voz alta y hágalo de una manera animada. Comunicar que Jesús está siempre con nosotros ¡es una gran noticia para compartir!

Nos convertimos en las historias que escuchamos, leemos y contamos.

El Ritmo de la Vida

Mis Notas:

_____

_____

_____

_____

_____

_____

_____

_____

Jesús resucitado siempre está a nuestro lado, pero con frecuencia, no lo reconocemos. Jesús está a nuestro lado cuando despertamos cada mañana, cuando estamos jugando con nuestros amigos, cuando estamos en un juego de pelota y en el ballet, cuando estamos haciendo la tarea, cuando vamos de compras, y Él está a nuestro lado cuando nos acostamos en la noche.

En la mañana, Él está muy contento porque te despiertas y empiezas un nuevo día. En el fútbol te echa porras para que lo hagas lo mejor posible. Y cuando vas de compras, te susurra en el oído, "Lo que estás a punto de comprar, ¿te ayudará a convertirte en la-mejor-versión-de-ti-mismo/a?".

Jesús está presente en la Misa de una manera especial. Los discípulos tuvieron un encuentro impactante con Jesús en el camino a Emaús, pero tú llegas a tener un encuentro todavía más impactante con Él cada domingo en la Misa. Y muy pronto vas a poder recibir a Jesús en la Eucaristía.

3 minutos

sugerencia

Sea paciente. Cuando un alumno/a se porte mal, muestre una actitud de preocupación y afecto. Haga su mejor esfuerzo para evitar parecer frustrado/a o molesto/a. Trate de redirigir el mal comportamiento hacia un resultado deseado. Por ejemplo: "No está bien hablar mientras yo estoy hablando. Por favor la próxima vez espera a que yo termine de hablar. Gracias."

Si tú deseas adorar el rostro real de Jesús, lo puedes encontrar en la divina Eucaristía, en el Cuerpo y la Sangre de Jesucristo; donde el rostro de nuestro Señor se oculta bajo el blanco velo de la Hostia.

San Cayetano Catanoso.

VER Y DISCUTIR

Paso a Paso

1 Presente el Episodio 6 diciendo: "¿Cuál es el evento más grande sobre la tierra? ¡Vamos a averiguarlo!".

2 Vean el Episodio 6.

3 Pregúnteles a los niños: "¿Cuál es el evento más grande sobre la tierra?"
- ¡LA MISA!

La sabiduría nunca está pasada de moda. La sabiduría es verdad vivida.

Punto Decisivo

Tantas Maravillas

Hay muchas cosas maravillosas que pasan durante la Misa. Si fueras a Misa todos los días de tu vida, todavía estarías descubriendo sus maravillas al final de tu vida. No hay nada como la Misa.

Ya hemos hablado de cómo Dios nos habla en la Misa. Eso es asombroso. La Eucaristía es otra maravilla que experimentamos en la Misa. Nosotros creemos que durante la Misa, un simple pedazo de pan y una copa de vino son transformados en el Cuerpo y la Sangre de Jesús. ¡Eso es asombroso!

Es asombroso que Dios se entregue a nosotros de esta manera. En la Misa, Dios se entrega completamente a nosotros en la Eucaristía, y en la Misa nosotros nos entregamos completamente a Él en oración. Vamos a hablar mucho más sobre esto en las próximas páginas.

A veces las personas dicen que se aburren en la Misa. Usualmente, esto se debe a que no saben lo que está pasando o a que no están escuchando lo que Dios está diciéndoles. Es imposible aburrirse en la Misa si estamos tratando de escuchar la voz de Dios. Si alguna vez encontramos que la Misa es aburrida, es hora de que pongamos más energía en nuestra conversación con Dios.

Si la Misa no nos parece interesante, quizás necesitamos aprender más sobre lo que está pasando en realidad. Todo lo que pasa en la Misa, pasa por una razón, y cuando realmente sabemos lo que está pasando, es fascinante.

Mis Notas:

_____

_____

_____

_____

_____

_____

_____

Algunas veces ayuda tener un misal, un librito que explica todo lo que está pasando en la Misa. Es muy útil seguirlo.

Otra manera de asegurarnos de no aburrirnos en la Misa es cantar todos los cantos y responder a todas las oraciones. Cuando participas en la Misa, estás conversando con Dios. Sólo nos aburrimos cuando dejamos de participar. Además, cuando hablamos con Dios, ¡Él nos dice cosas asombrosas!

A medida que crecemos en sabiduría, descubrimos que ¡la Misa es el evento más asombroso de la Tierra!

10 minutos

sugerencia

Cuando sea posible, trate de obtener retroalimentación de los niños. ¿Cuál es tu parte favorita de la Misa? ¿En qué parte de la Misa te sientes más cercano a Dios? ¿Alguna vez has pensado en todos los cristianos, desde el tiempo de Jesús, que han participado en la Misa? De vez en cuando, es útil entrar en la mente de los niños a los que está sirviendo. Aprender más sobre los niños le ayudará a abordar de una mejor manera las preguntas específicas que ellos tengan y a servirles eficazmente.

Sería más fácil para el mundo sobrevivir sin el sol que prescindir de la Santa Misa.

Padre Pío de Pietrelcina

MUESTRA LO QUE SABES

Paso a Paso

1 Pídales a los niños que completen la página de actividades, ya sea ellos solos, con un compañero/a o en grupo.

2 Después de tres minutos pregúntele a la clase: "¿Hay algunas preguntas con las que tengan dificultad?".

3 Brevemente responda las preguntas que ellos tengan y refiéralos a la página correspondiente a la pregunta en el libro de trabajo.

> **Jesús nunca preguntó: "¿Cómo me beneficiaré yo?". Él no estaba motivado por el credo individualista; estaba motivado por un espíritu de servicio.**
>
> Redescubre el Catolicismo

Muestra lo que Sabes

Verdadero o Falso

1. __V__ El día de tu Primera Comunión va a ser un día muy especial en tu vida. (p 55)

2. __F__ Dios quiere que vivas la peor vida imaginable. (p 56)

3. __V__ Los Diez Mandamientos nos muestran la mejor manera de vivir. (p 58)

4. __F__ Dios nunca nos habla. (p 60)

5. __V__ Cada domingo, en la iglesia, Dios quiere decirnos algo. (p 61)

Llena los Espacios en Blanco

1. Cada domingo Dios nos invita a su _____casa_____ para una gran celebración. (p 57)

2. La _____misa_____ es una de las más grandes bendiciones que Dios nos da como católicos. (p 54)

3. La Eucaristía es una _____celebración_____ del amor de Dios por nosotros. (p 55)

4. Cuando pasamos tiempo con Dios, Él nos llena con Su _____gracia_____ para que podamos vivir una vida santa. (p 57)

5. Los Diez Mandamientos son una _____bendición_____ que

Mis Notas:

_____

_____

_____

_____

_____

_____

_____

Dios nos da para ayudarnos a convertirnos en la-mejor-versión-de-nosotros mismos. (p 58)

6. Es _____**imposible**_____ aburrirnos en la Misa si estamos tratando de escuchar la voz de Dios. (p 55)

7. La Misa es la oración _____**perfecta**_____. (p 70)

8. Aprender a _____**escuchar**_____ la voz de Dios es una de las lecciones más importantes que podemos aprender en la vida. (p 60)

9. Si fueras a Misa todos los días de tu vida, todavía estarías descubriendo sus _____**maravillas**_____ al final de tu vida. (p 70)

10. A medida que creces en sabiduría, descubres que la Misa es el evento más _____**asombroso**_____ de la Tierra. (p 71)

Lista de Palabras

CASA	ASOMBROSO	CELEBRACIÓN	IMPOSIBLE	GRACIA
MISA	PERFECTA	ESCUCHAR	MARAVILLAS	BENDICIÓN

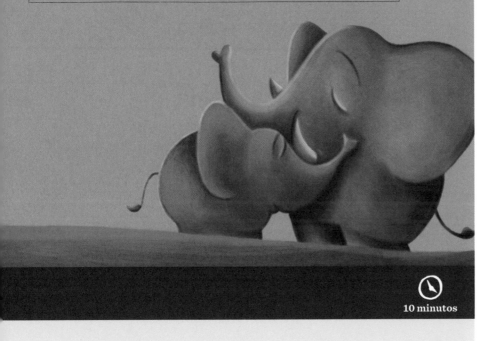

🕐 10 minutos

_____
_____
_____
_____
_____
_____
_____

sugerencia

Si no queda mucho tiempo, usted puede decidir completar esta sección en grupo. Simplemente lea cada pregunta de llenar los espacios en blanco y de verdadero o falso en voz alta e invite a los estudiantes a responder en voz alta también. Una vez que alguien diga la respuesta correcta, pídales a todos que la escriban en su libro de trabajo. Si no hay suficiente tiempo pídales a los niños que completen el ejercicio como tarea.

Recuerda que cuando abandones esta tierra, no podrás llevarte contigo nada de lo que has recibido, solo lo que se te ha otorgado: un corazón lleno y enriquecido por el servicio honesto, el amor, el sacrificio y el coraje.

San Francisco de Asís

DIARIO CON JESÚS

Paso a Paso

1 Invite a los niños a escribirle una carta a Jesús.

2 Pídales que permanezcan en silencio mientras escriben en su diario.

3 Si usted lo desea puede poner música tranquila de fondo para ayudar a crear un ambiente propicio a la reflexión y motivar a los estudiantes a permanecer en silencio y enfocados en el diario con Jesús.

Más allá de las complejidades de la vida, hay simplicidad. Debajo del caos y la confusión de la vida hay comprensión. Es el Evangelio, la buena nueva.

Redescubre el Catolicismo

Mis Notas:

_____

_____

_____

_____

_____

_____

_____

Diario con Jesús

Querido Jesús,

Yo siento una gran ilusión al saber que te recibiré en la Eucaristía por
primera vez porque. . .

_____

_____

_____

_____

_____

_____

_____

_____

_____

10 minutos

_____

_____

_____

_____

_____

_____

Durante el transcurso del día, recuerda tan seguido como puedas que estás en presencia de Dios. Considera lo que Él hace y lo que tú estás haciendo.

San Francisco de Sales.

75

ORACIÓN FINAL

Paso a Paso

1 Prepare a los niños para rezar con Ben. Espere a que se calmen y hagan silencio.

2 Vean el Episodio 7.

3 Pregúnteles a los niños: "¿Cuáles son algunas de las cosas más importantes que aprendieron en esta sesión?".

- LA MISA ES EL EVENTO MÁS GRANDE SOBRE LA TIERRA.

- TODOS LOS DOMINGOS DIOS TIENE UN MENSAJE ESPECIAL PARA MÍ.

- JESÚS ESTÁ PRESENTE DE UNA MANERA ESPECIAL EN LA MISA DEL DOMINGO.

- CUANDO PASO TIEMPO CON DIOS, ÉL ME LLENA CON SU GRACIA PARA QUE YO PUEDA VIVIR UNA VIDA SANTA.

- APRENDER A ESCUCHAR LA VOZ DE DIOS ES UNA DE LAS LECCIONES MÁS IMPORTANTES QUE PODEMOS APRENDER EN LA VIDA.

Oración Final

Trágicamente, hay muchas personas que pasan toda su vida sin conocer a Jesús y sin saber cuánto Él nos ama. Eso es muy triste.

La razón por la que nunca conocen a Jesús es porque nunca lo buscan. Dios nos habla de muchas maneras. Nos habla a través de la Iglesia, de la Biblia, de la Misa, de la naturaleza, las obras de arte y la literatura, y de otras personas. Pero para poder escuchar a Dios, para conocerlo, y para descubrir su asombroso plan para tu vida, ¡necesitas buscarlo!

Ahora, recemos juntos y pidámosle a Dios que nos dé el valor y el deseo de buscarlo siempre, pase lo que pase.

> **Sé, Señor Jesús,**
> **una llama brillante delante de mí,**
> **una estrella guía sobre mí,**
> **un camino suave debajo de mí,**
> **un amable pastor detrás de mí:**
> **hoy, esta noche y para siempre.**
>
> **Amén**

Oración de Sta. Columba

Mis Notas:

_____

_____

_____

_____

_____

_____

_____

5 minutos

sugerencia

Elija estar alegre. Incluso si no se siente alegre cuando entra al salón para preparar el material de la clase, elija estar alegre. La alegría es contagiosa y se puede extender fácilmente por todo el salón.

Enamorarse de Dios es el romance más grande, buscarle es la mayor aventura, encontrarlo el mayor logro humano.

San Agustín de Hipona.

La Palabra de Dios

Guía rápida de la sesión

Oración de Apertura . . . . 4 min

Ver y Discutir; Leer y Explorar . . . . 73 min

Muestra lo que Sabes . . . . 5 min

Diario con Jesús . . . . 5 min

Oración Final . . . . 3 min

OBJETIVOS

- **PROCLAMAR** que dos de las formas en que Dios nos revela su asombroso plan para nuestras vidas son: a través de la Biblia y a través de la Misa dominical.

- **EXPLICAR** que Jesús es el mejor maestro que ha existido jamás.

- **ENSEÑAR** que nos reunimos en la iglesia con nuestra familia, amigos y toda nuestra familia parroquial para adorar a Dios de la manera en que Jesús nos lo enseñó.

- # Asignando un tiempo específico cada semana para preparar su clase.
- # Buscando asesoría.

BIENVENIDA

Jesús es el mejor maestro que ha caminado sobre la tierra. Su método de enseñanza ha inspirado innumerables páginas de análisis y miles de horas de entrenamiento. Aquí hay dos métodos que Jesús utilizo para ser un gran líder.

JESÚS SE PREPARÓ PARA EL TRABAJO QUE DIOS LE CONFIÓ.

Jesús experimentó un intenso período de preparación antes de iniciar su ministerio público. Después de ser bautizado en el río Jordán por Juan el Bautista Jesús se fue Él solo al desierto, en donde oró y ayunó por cuarenta días y cuarenta noches. ¿Por qué? Porque Jesús sabía que la preparación es esencial.

La preparación aumenta drásticamente la calidad de la experiencia, tanto para el alumno como para el profesor. Su ausencia tiene como consecuencia que a los líderes se les dificulte hacer que sus alumnos participen, o que respondan eficazmente a las preguntas, o que incluso disfruten de la experiencia.

JESÚS NO TRABAJÓ SOLO.

Una y otra vez, a lo largo de los Evangelios, leemos acerca de cómo Jesús se retiró a un lugar tranquilo para buscar el consejo de Dios Padre. Él lo hizo antes de elegir a sus discípulos, antes de alimentar a los cinco mil y antes de regresar a Jerusalén para enfrentar su crucifixión y muerte.

Usted no tiene que dirigir esta clase por sí solo/a. Busque la sabiduría de los demás. Pero sobre todo rece, porque Dios es el más interesado en que usted tenga éxito.

| Icono Oración | Leer y Explorar | Ver y Discutir | Muestra lo que Sabes | Diario con Jesús | Medidor de Tiempo |

ORACIÓN DE APERTURA

Paso a Paso

1 Reúna a los alumnos para hacer la oración. Espere hasta que ellos estén tranquilos. No los apresure, la reverencia requiere paciencia y práctica.

2 Antes de leer la oración en voz alta, respire profundamente para crear un momento adicional de silencio. Nunca se sabe lo que Dios podría decirles a sus estudiantes (o ia usted!) cuando se abre la oportunidad.

3 ¡Recen!

Desarrollar una vida de oración dinámica requiere perseverancia más que cualquier otra cosa.

Punto Decisivo

Mis Notas:

_____
_____
_____
_____
_____
_____
_____
_____

3
La Palabra de Dios

Dios nuestro, Padre amoroso,
gracias por todas las formas en que me bendices.
Ayúdame a estar consciente de que cada persona,
cada lugar, y cada aventura que experimento
es una oportunidad para amarte más.
Lléname con el deseo de cambiar y crecer,
y dame la sabiduría para escoger ser
la-mejor-versión-de-mí-mismo/a en
cada momento de cada día.

Amén.

4 minutos

sugerencia

¡La oración es tan fácil cómo contar uno, dos, tres!

1. Incline su cabeza (muestre respeto por Dios).
2. Cierre los ojos (enfoque la mente).
3. Junte sus manos (cuerpo inmóvil).

Si sus estudiantes necesitan ayuda, modéleles el proceso y luego practíquenlo juntos. Es increíble cuántos niños tienen problemas con la oración porque están luchando con su postura. Finalmente, comience la oración diciendo: "En el nombre del Padre, del Hijo y del Espíritu Santo".

Pero busca primero su reino y su justicia, y todo lo demás vendrá por añadidura.

Mateo 6, 33

VER Y DISCUTIR

Paso a Paso

1 Introduzca el Episodio 1 diciendo: "Ben es puesto a prueba por sus amigos. ¿Pasará la prueba? ¡Veamos juntos el episodio para descubrirlo!".

2 Vean el Episodio 1.

> **El ser humano no puede vivir sin un significado y un propósito.**
>
> El Ritmo de la Vida

Descripción General de la Misa

Cada vez que vas a Misa pasan muchas cosas. Detrás de cada oración y de cada acción hay un enorme significado; En la Misa, todo pasa por una razón. En nuestro camino espiritual como católicos siempre estamos descubriendo nuevas capas de significado, así que nunca cesamos de aprender sobre la Misa.

La Misa se compone de cuatro partes:

1. Ritos iniciales
2. Liturgia de la Palabra
3. Liturgia de la Eucaristía
4. Ritos de Conclusión

Hay dos palabras a las cuales debemos prestar atención especial: rito y liturgia.

Mis Notas:

_____

_____

_____

_____

_____

_____

_____

_____

¿Qué es un Rito?

Un rito es algo que se dice o se hace siempre de la misma manera por una razón específica. Por ejemplo, la Señal de la Cruz es un rito. Cada vez que la hacemos, la hacemos de la misma manera. Siempre la decimos de la misma manera: "En el Nombre del Padre, y del Hijo, y del Espíritu Santo. Amén".

El orden tiene una razón. Dios Padre es la primera persona de la Santísima Trinidad. Dios Hijo es la segunda persona de la Santísima Trinidad. Y Dios Espíritu Santo es la tercera persona de la Santísima Trinidad.

Si fueras a Misa y el sacerdote empezara haciendo la Señal de la Cruz diciendo, "En el Nombre del Hijo, y del Espíritu Santo, y del Padre. Amén", sabrías que algo no esta bien.

Nuestra fe católica tiene muchos ritos.

Cada rito tiene una razón.

8 minutos

_____

_____

_____

_____

_____

_____

_____

No soy más que un instrumento, un trozo de lápiz con el cual Él escribe aquello que Él quiere. Sin importar lo imperfectos que seamos Él escribe hermosamente.

Santa Teresa de Calcuta.

LEER Y EXPLORAR

Paso a Paso

1 Invite a los niños a ver la ilustración y pregúnteles: "¿Reconocen algo?"

- LA COPA QUE SOSTIENE EL SACERDOTE: *EL CÁLIZ*
- LA PRENDA EXTERIOR USADA POR EL SACERDOTE: *LA CASULLA*
- EL NOMBRE DE LA CAJA MARRÓN DETRÁS DEL SACERDOTE: *EL ALTAR*
- EL NOMBRE DE LA TELA EN LA PARTE SUPERIOR DEL ALTAR: *EL MANTEL DEL ALTAR*

En toda nuestra vida existe el gran peligro de creer que quienes somos, dónde estamos y lo que tenemos es todo lo que hay. Hay más.

El Ritmo de la Vida

¿Qué es la Liturgia?

La Liturgia es una oración en la que participamos como comunidad. Durante la Misa experimentamos dos tipos de liturgia: la Liturgia de la Palabra y la Liturgia de la Eucaristía.

Durante la Liturgia de la Palabra escuchamos las lecturas de la Biblia y una homilía del sacerdote o del diácono, luego rezamos el Credo juntos y ofrecemos nuestras peticiones a Dios.

Durante la Liturgia de la Eucaristía ofrecemos nuestra vida y nuestros dones a Dios, preparamos el altar, rezamos la Oración Eucarística, y recibimos la Sagrada Comunión.

La Liturgia es una manera hermosa de pasar tiempo con Dios y con nuestra familia parroquial.

Mis Notas:

_____
_____
_____
_____
_____
_____
_____
_____

¿Dónde Celebramos la Misa?

Celebramos la Misa en la iglesia. Nuestra iglesia parroquial es un lugar muy especial porque es la casa de Dios. Nos reunimos en la iglesia con nuestros familiares, con nuestros amigos, y con toda nuestra familia parroquial para rendirle culto a Dios en la manera que Jesús nos enseñó a hacerlo.

La Misa es un hermoso ritual compuesto de oraciones, liturgias, y ritos. Durante la Misa usamos muchos objetos especiales que nos ayudan a celebrar. ¿Reconoces algunos de estos objetos?

5 minutos

sugerencia

Si los niños tienen dificultades para responder las preguntas, ayúdelos dándoles pistas o sugerencias. Utilice la rima y la asociación de palabras para ayudarles a llegar a la respuesta.

_____

_____

_____

_____

_____

_____

_____

Dio gracias, lo partió y dijo: "Esto es mi Cuerpo, que se entrega por ustedes. Hagan esto en memoria mía".

1 Corintios 11, 24

Paso a Paso

1 Presente el Episodio 2 diciendo: "¿Qué creen que es lo más sorprendente que el Padre Tom ha visto?".

2 Vean el Episodio 2.

3 Pregúnteles a los niños: "¿Qué es lo más sorprendente que el Padre Tom ha visto?".

- DURANTE LA MISA EL PAN Y EL VINO SE CONVIERTEN EN ¡EL CUERPO Y LA SANGRE DE JESÚS!

> **Cristo nos invita a una vida de disciplina no por su bien, sino por nuestro bien; no para ayudarlo, sino para ayudarnos; no para hacerlo feliz, sino para permitirnos compartir su felicidad.**
>
> Redescubre el Catolicismo

Los Ritos Iniciales

El domingo vamos a la iglesia para celebrar la Misa. Es una excelente manera de darle gracias a Dios por todas las bendiciones que nos ha dado.

Durante la Misa recordamos la vida, la muerte y la Resurrección de Jesús, y la cosa más asombrosa pasa, algo que no pasa en ninguna otra parte: el sacerdote cambia el pan y el vino en el Cuerpo y la Sangre de Jesús.

¿Cómo puede él hacer esto? Dios da poderes especiales a los sacerdotes. En tu Primera Reconciliación, Dios perdonó tus pecados por medio del sacerdote. Durante la Misa, Dios transforma el pan y el vino en el Cuerpo y la Sangre de Jesús por medio del sacerdote.

Otra cosa maravillosa que pasa en la iglesia es que recibimos la Sagrada Comunión. Recibimos a Jesús en la Eucaristía. Lo cual es una bendición asombrosa.

Cuando regresas a tu asiento luego de recibir a Jesús en la Eucaristía, arrodíllate, cierra los ojos, y reza. Este es un momento muy especial porque Dios está dentro de ti.

Ahora, hablemos de las cuatro partes de la Misa. ¿Recuerdas cuáles son?

1. Ritos Iniciales
2. Liturgia de la Palabra
3. Liturgia de la Eucaristía
4. Ritos de Conclusión

Mis Notas:

_____

_____

_____

_____

_____

_____

Ritos Iniciales

La Misa inicia con una procesión. El sacerdote, el diácono, los lectores, y los monaguillos caminan juntos en procesión hacia el altar. Usualmente, esta procesión es acompañada con música. La música nos ayuda a elevar nuestro corazón a Dios en alabanza y acción de gracias.

¿Alguna vez has notado que la música puede hacerte sentir muy feliz? Eso sucede porque tu corazón y tu alma están saltan de gozo. La música es una manera poderosa de rezar. San Agustín dijo, "Cantar es como orar dos veces".

Una vez que el sacerdote llega al altar, comienza con la Señal de la Cruz: "En el Nombre del Padre, y del Hijo, y del Espíritu Santo. Amén."

La Señal de la Cruz es un rito.

9 minutos

Una de las mejores maneras de crear un espacio seguro para que los niños compartan y participen abiertamente en la clase, sin temor a ser rechazados, es celebrando sus pequeños éxitos. Un líder que se toma el tiempo de celebrar el éxito de sus alumnos crea un ambiente positivo que permite a los niños hacer preguntas, compartir ideas y participar honestamente en las discusiones. Celebrar las pequeñas victorias es una manera simple de tener un gran impacto. Aquí hay algunos ejemplos como poder celebrar esas pequeñas victorias: un saludo de mano "choca los cinco" cuando ellos respondan correctamente, decir: "¡Buen intento, eso estuvo cerca!", o "¡Ya casi estás ahí, sigue adivinando!".

Deberíamos pasar la misma cantidad de tiempo agradeciéndole a Dios por sus beneficios, que cuando se los pedimos.

San Vicente de Paúl

LEER Y EXPLORAR

Paso a Paso

1 Invite a los niños a explorar la ilustración.

2 Cuénteles a los niños que la imagen representa la historia de la mujer en el pozo. Si el tiempo lo permite, lea la historia que se encuentra en el capítulo cuarto del Evangelio de San Juan versículos 1 al 42.

Nuestra paz no se basa en nuestra perfección, sino en la misericordia de Dios. Clama por su misericordia.

Semillas de Mostaza

Decimos Lo Siento

A Dios le encantan las relaciones saludables, y una parte muy importante de las relaciones saludables es decir lo siento cuando hacemos o decimos algo que lastima a la otra persona. Los católicos decimos lo siento. La razón es que nuestra amistad con Dios y nuestra amistad mutua con el prójimo no puede prosperar si no decimos lo siento.

Si estás jugando con un amigo en el campo de recreo y él te empuja y no dice lo siento, ¿cómo te sentirías? Puede que te preguntes si realmente es tu amigo. Pero si él se te acerca y lo primero que hace es decirte, "Siento haberte empujado ayer, No volveré a hacerlo. Por favor, perdóname".

¿Cómo te haría sentir eso? Te recordaría que él realmente quiere ser tu amigo.

Es por eso que, después de la Señal de la Cruz, lo primero que hacemos en la Misa es decirle lo siento a Dios. Queremos que sepa que somos sus amigos y que realmente queremos ser buenos amigos para El.

Al inicio de la Misa le decimos lo siento a Dios y le pedimos perdón con una oración realmente sencilla y hermosa:

> **Sacerdote: Señor Ten Piedad**
> **Todos: Señor Ten Piedad**
> **Sacerdote: Cristo Ten Piedad**
> **Todos: Cristo Ten Piedad**
> **Sacerdote: Señor Ten Piedad**
> **Todos: Señor Ten Piedad**

Mis Notas:

_____

_____

_____

_____

_____

_____

_____

5 minutos

sugerencia

Los niños de esta edad muestran sus emociones. Si no les gusta algo o si están confundidos, muy probablemente usted lo podrá notar en sus caras. Si hay muchas caras confundidas mirándolo/a, no entre en pánico. Esta es una gran oportunidad para aprender más sobre cómo funciona la mente de los niños. Diga: "Estoy viendo muchas caras confundidas. ¿Qué es confuso?". Si eso no funciona, no se dé por vencido/a. Utilice diferentes adjetivos hasta que pueda identificar con precisión cómo se sienten y por qué se sienten así. Esta información le permitirá identificar de una mejor manera posibles obstáculos en sesiones futuras.

Si no crees que la misericordia de Cristo es suficiente para perdonar los peores pecados, entonces cometes un pecado imperdonable contra el Espíritu Santo.

Arzobispo Fulton Sheen

LEER Y EXPLORAR

Paso a Paso

1 Pregúnteles a los niños: "¿Saben de dónde proviene la primera línea del Gloria?"

2 Si ellos no lo saben, deles una pista: "¡La respuesta está en la ilustración!"

3 Si aún no saben, comparta con ellos la respuesta.

- EL ÁNGEL QUE ANUNCIÓ A LOS PASTORES QUE JESÚS HABÍA NACIDO SALUDÓ A LOS PASTORES DICIENDO: "GLORIA A DIOS EN LAS ALTURAS Y EN LA TIERRA PAZ A LOS HOMBRES AMADOS POR ÉL". LUCAS 2,14

Nuestros mejores días son aquellos en los que permanecemos conectados con Dios todo el día.

Vuelve a Descubrir a Jesús

Gloria a Dios

Seguidamente, decimos o cantamos el Gloria.

En distintos momentos de la vida rezamos por distintas razones. Y en distintos momentos de la Misa rezamos por distintas razones.

A veces rezamos para pedirle a Dios que nos ayude, a ese tipo de oración se le llama oración de petición. A veces rezamos para pedirle a Dios que ayude a otra persona, esa es una oración de intercesión. A veces rezamos para dar gracias a Dios por todas las maneras en que nos ha bendecido, es decir hacemos una oración de acción de gracias. Y a veces rezamos para alabar a Dios por su bondad, u oración de alabanza.

El Gloria es una oración de alabanza. A veces cantamos el Gloria y a veces lo decimos, pero siempre por la misma razón, ¡alabar a Dios!

Mis Notas:

_____

_____

_____

_____

_____

_____

_____

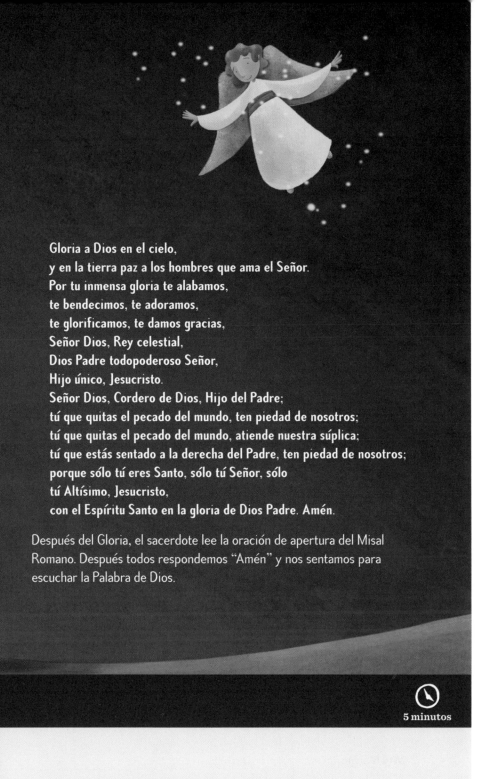

Gloria a Dios en el cielo,
y en la tierra paz a los hombres que ama el Señor.
Por tu inmensa gloria te alabamos,
te bendecimos, te adoramos,
te glorificamos, te damos gracias,
Señor Dios, Rey celestial,
Dios Padre todopoderoso Señor,
Hijo único, Jesucristo.
Señor Dios, Cordero de Dios, Hijo del Padre;
tú que quitas el pecado del mundo, ten piedad de nosotros;
tú que quitas el pecado del mundo, atiende nuestra súplica;
tú que estás sentado a la derecha del Padre, ten piedad de nosotros;
porque sólo tú eres Santo, sólo tú Señor, sólo
tú Altísimo, Jesucristo,
con el Espíritu Santo en la gloria de Dios Padre. Amén.

Después del Gloria, el sacerdote lee la oración de apertura del Misal
Romano. Después todos respondemos "Amén" y nos sentamos para
escuchar la Palabra de Dios.

🕐 5 minutos

sugerencia

Utilice su voz para llamar la atención de los niños. Cambie de tono y comience la clase susurrando en lugar de usar su tono de voz regular. Usted puede usar su voz como una dinámica que le ayude a captar su atención. Diga suavemente: "Si pueden oírme, tóquense su nariz". "Si pueden oírme, dense unas palmadas en la cabeza". El movimiento y el susurro pronto llamarán la atención de todos.

No puedo hacer grandes cosas, pero quiero hacer todo, incluso las cosas más pequeñas; para la mayor gloria de Dios.

Santo Domingo Savio

VER Y DISCUTIR

Paso a Paso

1 Introduzca el Episodio 3 diciendo: "El Padre Tom le pidió a Ben que lo ayudara con una tarea muy especial. ¡Descubramos qué es!".

2 Vean el Episodio 3.

Tu felicidad en esta vida y en la siguiente depende en gran medida de la seriedad con que tomes la Palabra de Dios.

Punto Decisivo

Liturgia de la Palabra

Durante la parte de la Misa que llamamos la Liturgia de la Palabra, escuchamos la Palabra de Dios y reflexionamos sobre cómo podemos vivir nuestra vida como Dios nos invita a hacerlo.

La Liturgia de la Palabra incluye lecturas de la Biblia, la homilía, el Credo, y las oraciones de intercesión.

En la Misa, el domingo, escuchamos cuatro lecturas de la Biblia:

1. **La Primera Lectura, del Antiguo Testamento**

2. **El Salmo, del Libro de Salmos**

3. **La Segunda Lectura, del Nuevo Testamento**

4. **La lectura del Evangelio, de uno de los cuatro Evangelios: Mateo, Marcos, Lucas, y Juan.**

Cada lectura se ha seleccionado específicamente para que se conecte con el tema sobre el cual la Iglesia quiere que reflexionemos esa semana. Y adivina qué: en todas las parroquias católicas se leen las mismas lecturas cada domingo.

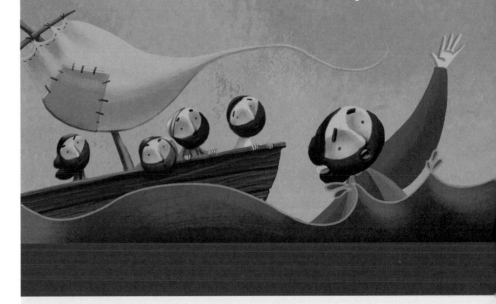

Mis Notas:

_____
_____
_____
_____
_____
_____
_____

De modo que si tienes un amigo en el otro extremo del país, ustedes pueden hablar sobre las lecturas porque él oyó las mismas que tú oíste en Misa.

Distintas personas leen distintas lecturas. Tal vez un día tú te conviertas en un/una lector en la Misa. Hay tantas maneras de involucrarse en la vida de la parroquia — leer en la Misa es una de ellas.

Tú eres un laico o una laica. Los laicos son miembros de la Iglesia no ordenados, y pueden leer la primera lectura, el salmo, y la segunda lectura. El sacerdote o el diácono lee el Evangelio. Ambos, el sacerdote y el diácono son miembros ordenados de la Iglesia.

5 minutos

sugerencia

Si el tiempo lo permite, tómese un momento para compartir la importancia de participar en la parroquia. Quizás podría destacar lo especial que es ser un lector en la Misa. Es probable que ahora los niños sean demasiado pequeños para ser lectores, pero el crear entusiasmo y expectativa en torno a la idea de serlo en el futuro sembrará una semilla importante en los corazones de los niños.

Sigue con coraje el camino de la santidad personal y nútrete diligentemente con la Palabra de Dios y la Eucaristía. Mientras más santo seas, más podrás contribuir a edificar la Iglesia y la sociedad.

San Juan Pablo II.

LEER Y EXPLORAR

Paso a Paso

1 Actividad: ¡SIGUE AL LÍDER!

Invite a todos los niños a ponerse de pie frente a usted. Dígales a los niños "sigan al líder" y ellos tienen que hacer todo lo que usted haga. Luego, corra en su lugar, salte moviendo las manos y piernas, mueva los brazos en círculos, estírese tocando los dedos de los pies y luego tratando de tocar el cielo. Siéntase libre de inventar sus propios movimientos. ¡Diviértanse!

La súplica de Dios a la humanidad siempre ha sido un llamado a entrar y descubrir la verdad sobre nosotros mismos: hemos sido creados a la imagen y semejanza de Dios.

Semillas de Mostaza

Algunas parroquias no tienen Misa todos los domingos porque no hay suficientes sacerdotes. Eso es muy triste. Algunos domingos estas parroquias tienen que hacer una Celebración de la Comunión en lugar de la Misa. Durante una Celebración de la Comunión nosotros escuchamos las lecturas de la Misa y se distribuye la Eucaristía directamente del Sagrario. En este caso, un laico puede leer el Evangelio.

Después del Evangelio, el sacerdote o el diácono dan la homilía. Durante la homilía, el sacerdote o el diácono explican las lecturas, nos muestran cómo ellas se aplican a nuestra vida, y nos inspiran a vivir lo que acabamos de escuchar en la Palabra de Dios.

Mis Notas:

_____

_____

_____

_____

_____

_____

_____

sugerencia

Ponga música para acompañar la actividad. Seleccione algo que sea alegre y divertido. Si usted tiene el CD de Dios *Te ha Bendecido: una colección de canciones para los jóvenes de corazón*, puede usar la canción titulada "Es un día hermoso". El movimiento ayuda a los alumnos a concentrarse y ¡es divertido!

¡Den gracias al Dios de los cielos, porque es eterno su amor!

Salmo 136, 26

VER Y DISCUTIR

Paso a Paso

1 Presente el Episodio 4 con alegría diciendo: "¡Estoy tan emocionado/a de compartir este episodio con ustedes! Sarah nos llevará en un viaje a través del credo y es increíble. Veámoslo juntos".

2 Vean el Episodio 4.

3 Pídales a los niños que compartan con su compañero/a de al lado lo que más les llamó la atención del episodio. Cuando terminen, compártale a la clase lo que más le llamó la atención a usted. Hágalo con entusiasmo. De manera que si usted dice: "¡Esto es genial!" su voz debe reflejar eso.

Solo una cosa es necesaria para que florezca el catolicismo: vidas auténticas.

Redescubre el Catolicismo

94

Creemos

Después de la homilía, nos ponemos de pie y proclamamos el Credo juntos y luego tenemos las oraciones de los fieles.

Todo el mundo cree en algo. Como católicos creemos muchas cosas. Creemos en Dios, creemos que Dios nos ama, creemos que Dios nos ha bendecido, creemos en el poder de la oración y creemos en muchas cosas más.

Cada domingo en la misa proclamamos el Credo. El Credo es un resumen de las creencias centrales que componen nuestra fe católica.

Mis Notas:

_____

_____

_____

_____

_____

_____

3 minutos

sugerencia

Hágales saber que está bien equivocarse. Sus palabras luego que un participante responda incorrectamente son muy importantes. Diga algo como: "Buen intento" o "gracias por su respuesta" o "no del todo". Esto creará un entorno seguro para responder preguntas.

Ahora yo sé que cada hombre da su vida por lo que cree. Cada mujer da su vida por lo que cree. A veces las personas creen en poco o nada y sin embargo, dan su vida por ese poco o nada. Una vida es todo lo que tenemos y la vivimos porque creemos en vivirla y luego desaparece. Pero renunciar a lo que eres y vivir sin creencias es más terrible que morir, incluso más terrible que morir joven.

Santa Juana de Arco

95

LEER Y EXPLORAR

Paso a Paso

1 Invite a diferentes alumnos a que lean cada uno, en voz alta, una línea del Credo. Si no tiene treinta estudiantes en la clase, pídales a los niños que continúen tomando turnos hasta que terminen.

2 Los niños pueden tener dificultades para leer los diferentes tipos de letra o para pronunciar algunas de las palabras más largas. Esté preparado/a para ayudarlos a pronunciar las palabras complicadas y/o modelárselas.

Cuando llegues a reconocer y creer que eres un hijo o hija de Dios, también te darás cuenta de que no te falta absolutamente nada.

Semillas de Mostaza

El Credo

CREO EN UN SOLO DIOS, **PADRE TODOPODEROSO**

creador del cielo y de la tierra,

DE TODO LO VISIBLE Y LO INVISIBLE.

CREO EN UN SOLO SEÑOR, JESUCRISTO,

HIJO ÚNICO DE DIOS, NACIDO DEL PADRE ANTES DE TODOS LOS SIGLOS.

DIOS DE DIOS, *Luz de Luz,*

DIOS VERDADERO DE DIOS VERDADERO,

ENGENDRADO, NO CREADO, DE LA MISMA NATURALEZA DEL PADRE,

POR QUIEN TODO FUE HECHO.

QUE POR NOSOTROS LO HOMBRES, Y POR NUESTRA SALVACIÓN *bajó del cielo,*

Y POR OBRA DEL ESPÍRITU SANTO

se encarnó de María, la Virgen,

Y SE HIZO HOMBRE.

Y POR NUESTRA CAUSA FUE CRUCIFICADO EN TIEMPOS DE PONCIO PILATO,

PADECIÓ Y FUE SEPULTADO,

Mis Notas:

_____

_____

_____

_____

_____

_____

_____

y resucitó al tercer día

SEGÚN LAS ESCRITURAS.

Y SUBIÓ AL CIELO

Y ESTÁ SENTADO A LA DERECHA DEL PADRE.

Y DE NUEVO VENDRÁ CON GLORIA

para juzgar a vivos y muertos

Y SU REINO NO TENDRÁ FIN.

Creo en el Espíritu Santo, Señor y dador de vida,

QUE PROCEDE DEL PADRE Y DEL HIJO,

QUE CON EL PADRE Y EL HIJO RECIBE UNA MISMA ADORACIÓN Y GLORIA,

y que habló por los profetas.

CREO EN LA IGLESIA, QUE ES UNA, SANTA, CATÓLICA Y APOSTÓLICA.

CONFIESO QUE HAY UN SOLO BAUTISMO PARA EL PERDÓN DE LOS PECADOS.

Espero la resurrección de los muertos

Y LA VIDA DEL MUNDO FUTURO.

Amén.

5 minutos

_____
_____
_____
_____
_____
_____
_____
_____

sugerencia

Manténgase positivo/a. Dios le ha permitido enseñar la fe a estos niños. Tenga cuidado de no desalentar preguntas o castigar dudas; por el contrario, vea esto como una invitación del Espíritu Santo a explorar y estudiar más la fe. Si el tiempo lo permite, pregúnteles a los niños si tienen alguna pregunta sobre el Credo. No se preocupe si no tiene todas las respuestas. Siempre puede escribir la pregunta, buscar la respuesta y compartirla en la siguiente clase. Lo importante es hacerles saber que las preguntas son buenas y lo que es aún más importante: la Iglesia tiene respuestas profundamente personales a sus preguntas profundamente personales.

¿Quién es el que vence al mundo? Solo el que cree que Jesús es el Hijo de Dios

1 Juan 5, 5

VER Y DISCUTIR

Paso a Paso

1 Presente el Episodio 5 diciendo: "Espero que estén tan emocionados como yo por ver como cobra vida la parábola del sembrador. Una pista: observen atentamente lo que sucede con las semillas".

2 Vean el Episodio 5.

El catolicismo es una forma de vida dinámica diseñada por Dios para ayudarte a explorar tu increíble potencial.

Redescubre el Catolicismo

De la Biblia: El Sembrador

A medida que Jesús iba de pueblo en pueblo, la noticia de sus grandes hazañas se propagó rápidamente. Se hizo muy famoso como gran maestro y sanador, y así dondequiera que iba una enorme multitud lo rodeaba.

Un día Jesús estaba sentado a la orilla de un lago, y una gran multitud lo rodeó. Querían que les enseñara y que los curara. De modo que Jesús se sentó en un bote a la orilla del agua, las personas se pararon a su derredor, y Él les contó parábolas. Una de esas parábolas se trataba de un agricultor sembrando semillas.

Mis Notas:

_____

_____

_____

_____

_____

_____

_____

Un agricultor fue a sembrar semillas en su campo. Al hacerlo, algunas cayeron en el camino junto al campo, y las aves bajaron y se las comieron. Otras cayeron en un terreno pedregoso, donde no había suficiente tierra. Estas semillas brotaron rápidamente, pero como el terreno era poco profundo, cuando salió el sol las quemó y murieron. Otras semillas cayeron entre espinas, y cuando crecieron fueron ahogadas por las espinas. Pero algunas semillas cayeron en un terreno fértil, rico y bueno, y éstas crecieron fuertes y saludables, y dieron una abundante cosecha.

Dios es el agricultor. Nuestro corazón y nuestra alma son el terreno. El mundo, el egoísmo, y el mal son las aves, las espinas, y el sol que quema. La oración diaria, aprender sobre nuestra fe, ir a Misa el domingo, ser generosos con todos los que se cruzan en nuestro camino, y compartir el mensaje de Dios con los demás; son actos que hacen que nuestro corazón y nuestra alma sean como el terreno rico que recibe la semilla y produce una cosecha abundante.

Adaptado de Mateo 13,1-9

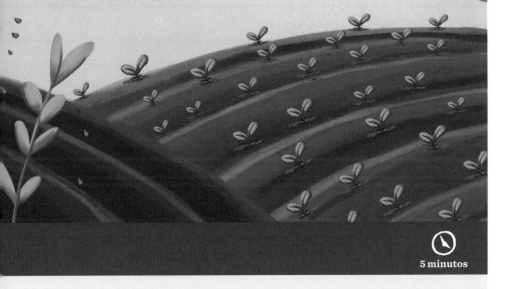

5 minutos

_____

_____

_____

_____

_____

_____

_____

_____

sugerencia

La perspectiva es poderosa. Habrá momentos en los que usted quiera expresar su impaciencia con los niños. Probablemente será después de tener que decirles que se calmen por quinta vez, antes de ver uno de los episodios animados. Usted querrá reprenderlos y eso es natural. Pero cuando se sienta así, considere su propia relación con Dios. ¿Cuántas veces Dios tuvo que recordarle algo? ¿Cuántas veces Él le ha mostrado su amorosa bondad solo para que usted, a veces incluso a propósito, vuelva a repetir los mismos errores y descuidos una y otra vez? La misericordia de Dios y su paciencia son afortunadamente infinitas y Él lo invita a tratar a sus alumnos de la misma manera.

¿Quién sino Dios puede darte paz? ¿Ha sido el mundo, alguna vez, capaz de satisfacer el corazón?

San Gerardo Majella

VER Y DISCUTIR

Paso a Paso

1 Introduzca el Episodio 6 diciendo: "En este episodio, Hemingway encuentra un pasaje secreto en la casa club. ¡Veamos a dónde conduce!".

2 Vean el Episodio 6

La verdadera realización solo se puede encontrar en y por medio de Jesucristo. Tú no puedes convertirte en la mejor versión de ti mismo si no es con y a través de Jesús.

Punto Decisivo

Hasta que se Gaste

Todas las lecturas de la Misa vienen del libro más famoso del mundo: la Biblia. Es el libro de mayor venta de todos los tiempos. Cuando tomas la Biblia puede parecerte que estás sujetando un libro grande; pero, de hecho, es una colección de 73 libros.

La Biblia se compone de dos secciones principales: el Antiguo Testamento y el Nuevo Testamento. Hay 46 libros en el Antiguo Testamento y 27 libros en el Nuevo Testamento.

Una de las muchas maneras en que Dios nos habla es a través de la Biblia. Dios tiene un plan maravilloso para tu vida, y una de las maneras en que Él revela ese plan maravilloso es a través de las lecturas que oímos en la Misa cada domingo.

Si fueras a emprender un viaje largo sería una buena idea llevar contigo un mapa. Sería aún mejor llevar a un guía que conozca el camino. La Biblia es como un mapa y la Iglesia es como ese guía, que está ahí para guiarte en el camino a través de esta vida y hacia la próxima, y así poder vivir con Dios en el Cielo para siempre.

Mis Notas:

_____

_____

_____

_____

_____

_____

_____

A lo largo de la Biblia, Dios les habla a personas una y otra vez, guiándolas, animándolas, y previniéndolas. Él les habló a Adán y a Eva, a Moisés y a Abraham, a Noé y a Jacob, a Rebeca y a Ruth, a María y a Pablo. Dios le habló a cada uno de ellos de distintas maneras, pero les habló a todos. Y ahora, Dios quiere hablarte a ti.

Jesús es la figura central de la Biblia. En el Antiguo Testamento leemos una y otra vez sobre cómo la gente estaba esperando la venida de Jesús, el Mesías. El Nuevo Testamento se trata de Jesús y sus enseñanzas, y de la vida de la Iglesia temprana y de cómo los primeros cristianos trataron de vivir el mensaje del Evangelio.

Yo he tenido algunos maestros maravillosos en mi vida, y estoy seguro de que tú también. Jesús es el Maestro más grande que ha vivido. Su manera favorita de enseñar era contando historias. Él contaba historias que la gente común podía entender.

¿Cuál es tu historia favorita de la Biblia?

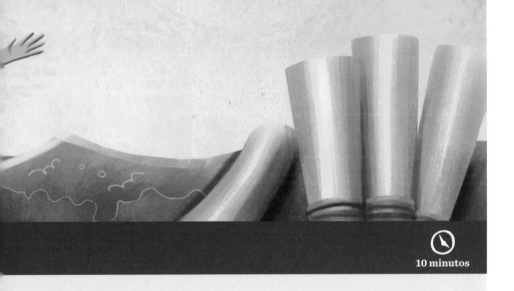

10 minutos

sugerencia

Tómese un tiempo para compartir con los niños su historia bíblica favorita.

_____

_____

_____

_____

_____

_____

_____

El Señor mismo va delante de ti. El estará contigo; no te dejará ni te abandonará. No temas, ni te desanimes.

Deuteronomio 31, 8

LEER Y EXPLORAR

Paso a Paso

1 Léales en voz alta el texto que se encuentra a partir del último párrafo de la página 102.

2 Pregúnteles a los niños: "¿Quieren que Jesús sea uno de sus mejores amigos? ¿Y los santos?".

La vida es maravillosa pero breve. Cada día está lleno de un potencial inimaginable. La vida que Dios nos invita a vivir nos permite vivir cada momento de forma consciente y con un entusiasmo vibrante.

Redescubre el Catolicismo

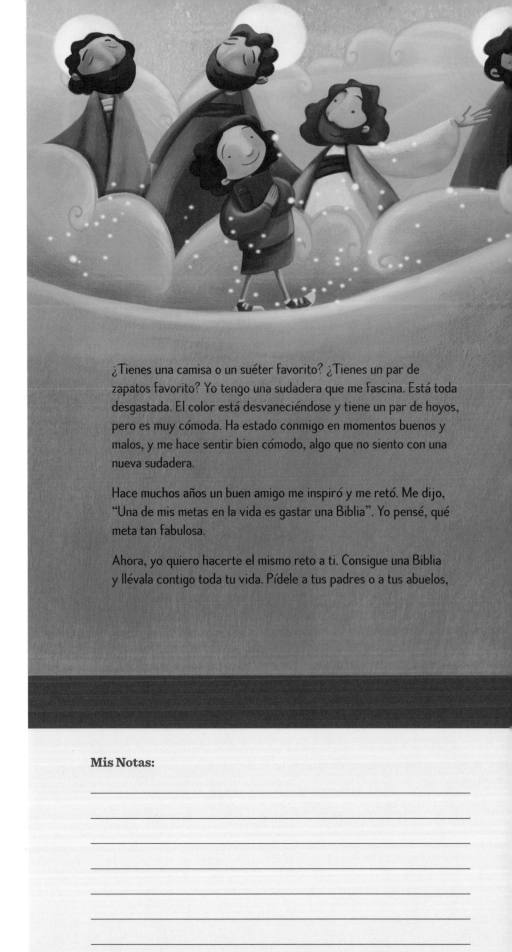

¿Tienes una camisa o un suéter favorito? ¿Tienes un par de zapatos favorito? Yo tengo una sudadera que me fascina. Está toda desgastada. El color está desvaneciéndose y tiene un par de hoyos, pero es muy cómoda. Ha estado conmigo en momentos buenos y malos, y me hace sentir bien cómodo, algo que no siento con una nueva sudadera.

Hace muchos años un buen amigo me inspiró y me retó. Me dijo, "Una de mis metas en la vida es gastar una Biblia". Yo pensé, qué meta tan fabulosa.

Ahora, yo quiero hacerte el mismo reto a ti. Consigue una Biblia y llévala contigo toda tu vida. Pídele a tus padres o a tus abuelos,

Mis Notas:

_____

_____

_____

_____

_____

_____

_____

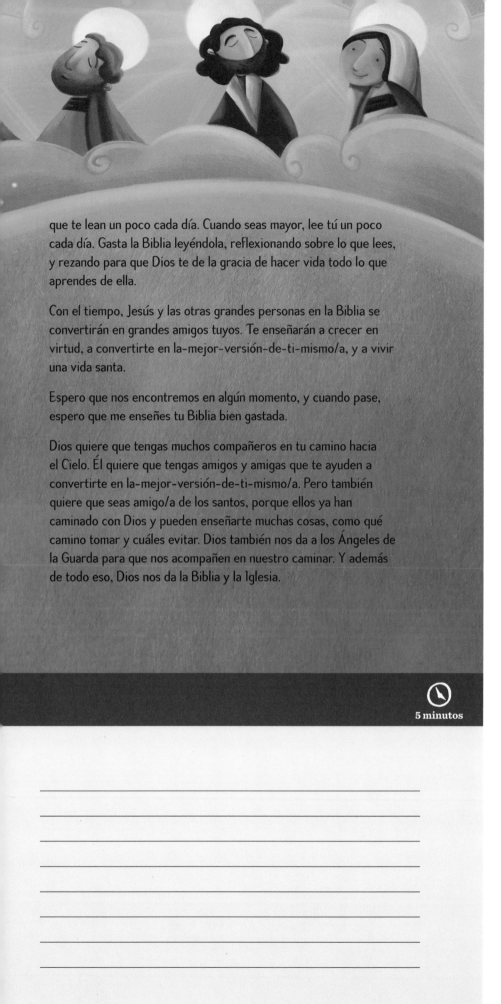

que te lean un poco cada día. Cuando seas mayor, lee tú un poco cada día. Gasta la Biblia leyéndola, reflexionando sobre lo que lees, y rezando para que Dios te de la gracia de hacer vida todo lo que aprendes de ella.

Con el tiempo, Jesús y las otras grandes personas en la Biblia se convertirán en grandes amigos tuyos. Te enseñarán a crecer en virtud, a convertirte en la-mejor-versión-de-ti-mismo/a, y a vivir una vida santa.

Espero que nos encontremos en algún momento, y cuando pase, espero que me enseñes tu Biblia bien gastada.

Dios quiere que tengas muchos compañeros en tu camino hacia el Cielo. Él quiere que tengas amigos y amigas que te ayuden a convertirte en la-mejor-versión-de-ti-mismo/a. Pero también quiere que seas amigo/a de los santos, porque ellos ya han caminado con Dios y pueden enseñarte muchas cosas, como qué camino tomar y cuáles evitar. Dios también nos da a los Ángeles de la Guarda para que nos acompañen en nuestro caminar. Y además de todo eso, Dios nos da la Biblia y la Iglesia.

🕐 **5 minutos**

_____
_____
_____
_____
_____
_____
_____

sugerencia

¿Cuál es su relación con la Biblia? Para muchos, la Biblia es solo una colección de historias que han escuchado muchas veces. Después de todo, es tan fácil pensar que ya conocemos cierta historia y por ende no ponerle atención. Pero hacerlo sería un error. La Palabra de Dios es constantemente nueva y fresca, incluso para aquellos que han dedicado toda su vida a explorarla. Esto es así porque nuestras vidas cambian constantemente, nosotros estamos cambiando constantemente y nuestra relación con Dios y con los demás cambia constantemente. Si usted aún no ha experimentado un cambio de vida a través de la Biblia, yo me alegro por la oportunidad que ahora usted tiene ante sus ojos.

En efecto, la palabra de Dios es viva y eficaz, más penetrante que espada de doble filo y penetra hasta donde se dividen el alma y el espíritu, las articulaciones y la médula, haciendo un discernimiento de los deseos y las actitudes del corazón.

Hebreos 4, 12

NUESTRA LO QUE SABES

Paso a Paso

1 Pídales a los niños que completen la página de actividades, ya sea ellos solos, con un compañero/a o en grupo.

2 Después de tres minutos pregúntele a la clase: "¿Hay algunas preguntas con las que tengan dificultad?".

3 Brevemente responda las preguntas que ellos tengan y refiéralos a la página correspondiente a la pregunta en el libro de trabajo.

Sigue tu conciencia y el consejo del Espíritu Santo y notarás que estás menos ansioso y más alegre.

Punto Decisivo

Muestra lo que sabes

Verdadero o Falso

1. __V__ La Biblia es una gran compañera en tu camino hacia el Cielo. (p 101)

2. __F__ Nunca debemos decir lo siento aunque hayamos hecho algo malo. (p 86)

3. __F__ No hay ningún propósito ni significado detrás de cada oración y de cada acción en la Misa. (p 80)

4. __V__ Dios te habla a través de la Biblia. (p 100)

5. __V__ Jesús es el Maestro más grande que ha vivido jamás. (p 101)

Llena los Espacios en Blanco

1. Dios tiene un ___plan lecturas___ maravilloso para tu vida. (p 100)

2. Nuestra iglesia parroquial es un lugar muy especial porque es la ___casa___ de Dios. (p 83)

3. Dios revela su plan maravilloso para tu vida, a través de las ___lecturas___ que oyes en la Misa cada domingo. (p 100)

4. Asistir a Misa el domingo es una excelente manera de darle gracias a Dios por todas las ___bendiciones___ que Él te ha dado. (p 84)
(p 84)

Mis Notas:

_____

_____

_____

_____

_____

_____

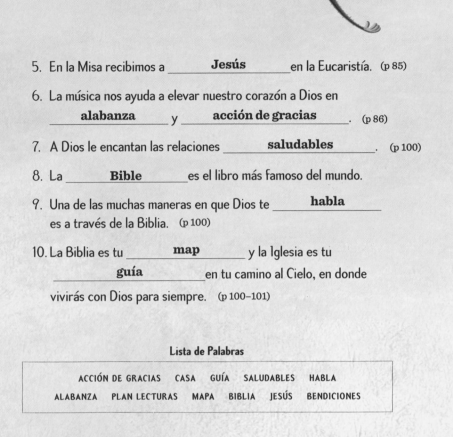

5. En la Misa recibimos a _____Jesús_____ en la Eucaristía. (p 85)

6. La música nos ayuda a elevar nuestro corazón a Dios en _____alabanza_____ y _____acción de gracias_____. (p 86)

7. A Dios le encantan las relaciones _____saludables_____. (p 100)

8. La _____Bible_____ es el libro más famoso del mundo.

9. Una de las muchas maneras en que Dios te _____habla_____ es a través de la Biblia. (p 100)

10. La Biblia es tu _____map_____ y la Iglesia es tu _____guía_____ en tu camino al Cielo, en donde vivirás con Dios para siempre. (p 100–101)

Lista de Palabras

ACCIÓN DE GRACIAS	CASA	GUÍA	SALUDABLES	HABLA
ALABANZA	PLAN LECTURAS	MAPA	BIBLIA	JESÚS	BENDICIONES

5 minutos

_____
_____
_____
_____
_____
_____
_____

sugerencia

Si no queda mucho tiempo, usted puede decidir completar esta sección en grupo. Simplemente lea cada pregunta de llenar los espacios en blanco y de verdadero o falso en voz alta, e invite a los estudiantes a responder en voz alta también. Una vez que alguien diga la respuesta correcta, pídales a todos que la escriban en su libro de trabajo. Si no hay suficiente tiempo pídales a los niños que completen el ejercicio como tarea.

El objetivo de nuestra vida es vivir con Dios para siempre. Dios, que nos ama, nos dio la vida. Nuestra propia respuesta de amor permite que la vida de Dios fluya sin límite dentro de nosotros.

San Ignacio de Loyola

DIARIO CON JESÚS

Paso a Paso

1 Invite a los niños a escribirle una carta a Jesús.

2 Pídales que permanezcan en silencio mientras escriben en su diario.

3 Si usted lo desea puede poner música tranquila de fondo para ayudar a crear un ambiente propicio a la reflexión y motivar a los estudiantes a permanecer en silencio y enfocados en el diario con Jesús.

La forma en que respondemos a todo lo que sucede en nuestra vida hace que amemos más o menos.

Vuelve a Descubrir a Jesús

Mis Notas:

_____

_____

_____

_____

_____

_____

_____

Diario con Jesús

Querido Jesús,

Tú eres el Maestro más grande de la historia, y yo necesito que tú me ayudes a entender . . .

_____

_____

_____

_____

_____

_____

_____

_____

5 minutos

_____

_____

_____

_____

_____

_____

sugerencia

Los niños frente a usted pueden captar mucho más de lo que usted cree. Ellos podrían quejarse diciendo: "¡Yo no sé qué decir!". Y esa es la oportunidad perfecta para intercambiar ideas sobre lo que ellos podrían querer decir. Aquí hay tres cosas que usted puede decir para ayudar a provocar una lluvia de ideas:

- "HAZ UNA LISTA DE LAS COSAS POR LAS QUE QUIERES DAR GRACIAS".
- "CUÉNTALE A JESÚS QUE TE DA MIEDO Y PÍDELE QUE ESTÉ CERCA DE TI".
- "ESCRÍBELE A JESÚS ACERCA DE ALGUIEN QUE ESTÁ ENFERMO Y QUE NECESITA ORACIONES".

El Señor, tu Dios, está en medio de ti, es un guerrero victorioso. El exulta de alegría a causa de ti, te renueva con su amor y lanza por ti gritos de alegría.

Sofonías 3, 17

ORACIÓN FINAL

Paso a Paso

1 Prepare a los niños para rezar con Ben. Espere a que se calmen y hagan silencio.

2 Vean el Episodio 7.

3 Pregúnteles a los niños: "¿Cuáles son algunas de las cosas más importantes que aprendieron en esta sesión?".

- DIOS REVELA SU INCREÍBLE PLAN PARA NUESTRAS VIDAS A TRAVÉS DE LA BIBLIA Y DE LA MISA DOMINICAL.

- JESÚS ES EL MEJOR MAESTRO QUE HAYA EXISTIDO.

- EL DOMINGO ADORAMOS A DIOS COMO JESÚS NOS LO ENSEÑÓ.

- ASISTIR A MISA ES UNA EXCELENTE MANERA DE MOSTRARLE NUESTRO AGRADECIMIENTO A DIOS POR TODAS LAS BENDICIONES QUE NOS DA.

- DIOS AMA LAS RELACIONES SALUDABLES.

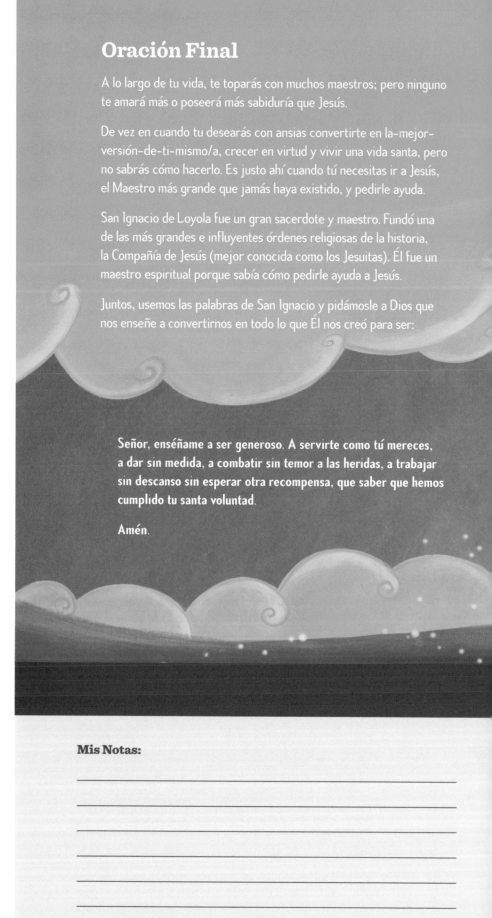

Oración Final

A lo largo de tu vida, te toparás con muchos maestros; pero ninguno te amará más o poseerá más sabiduría que Jesús.

De vez en cuando tu desearás con ansias convertirte en la-mejor-versión-de-ti-mismo/a, crecer en virtud y vivir una vida santa, pero no sabrás cómo hacerlo. Es justo ahí cuando tú necesitas ir a Jesús, el Maestro más grande que jamás haya existido, y pedirle ayuda.

San Ignacio de Loyola fue un gran sacerdote y maestro. Fundó una de las más grandes e influyentes órdenes religiosas de la historia, la Compañía de Jesús (mejor conocida como los Jesuitas). Él fue un maestro espiritual porque sabía cómo pedirle ayuda a Jesús.

Juntos, usemos las palabras de San Ignacio y pidámosle a Dios que nos enseñe a convertirnos en todo lo que Él nos creó para ser:

Señor, enséñame a ser generoso. A servirte como tú mereces, a dar sin medida, a combatir sin temor a las heridas, a trabajar sin descanso sin esperar otra recompensa, que saber que hemos cumplido tu santa voluntad.

Amén.

Mis Notas:

_____
_____
_____
_____
_____
_____
_____
_____

3 minutos

¿Está rezando por sus alumnos?, y ¿está orando para tener la sabiduría necesaria para dirigir esta clase con eficacia? El potencial de influencia que usted tiene en los niños no es una exageración. Si usted se pone a pensar en esto por un momento, muy probablemente podrá recordar a un maestro que influenció negativamente en usted. Quizás él o ella lo/a avergonzaron o le hicieron sentir que valía menos de lo que es. Al mismo tiempo, estoy seguro de que usted puede recordar a una maestra que lo/a inspiró y animó. En ambos casos, ellos dejaron una poderosa impresión en su vida. Esta es una gran responsabilidad, la cual estoy seguro que usted no dejará pasar. La gracia de Dios es su arma más poderosa en sus esfuerzos de influir positivamente en la vida de estos niños. Y la mejor manera de invocar su gracia es a través de la oración.

Piensen en el Señor y en su poder, busquen su presencia continuamente.

1 Crónicas 16, 11

109

4

La Eucaristía

Guía rápida de la sesión

OBJETIVOS

- **PROCLAMAR** que Jesús está realmente presente en la Eucaristía.

- **EXPLICAR** que la Eucaristía es alimento para nuestras almas.

- **ENSEÑAR** que la Sagrada Comunión es una bendición para toda la vida y que nunca debemos darla por sentada.

- ## Después de su arresto y crucifixión.
- ## Después de su enseñanza sobre la Eucaristía.

BIENVENIDA

Jesús dijo: "Yo soy el pan de vida . . . Les aseguro que si no comen la Carne del Hijo del hombre y no beben su Sangre, no tendrán Vida en ustedes." (Juan 6, 48.53).

Inmediatamente después de esto, leemos en el Evangelio: "Después de oírlo, muchos de sus discípulos decían: 'Esta es una enseñanza difícil; ¿Quién puede aceptarlo?'" (Juan 6, 60). Y unas líneas más adelante leemos: "Desde ese momento, muchos de sus discípulos se alejaron de Él y dejaron de acompañarlo." (Juan 6, 66).

Note que Jesús no dijo: "Oh, vuelvan. Yo solo bromeaba. Hablemos más de eso. Puede ser que yo estoy equivocado. Quizás podamos cambiar esta enseñanza. Nosotros podemos tratar de llegar a un acuerdo". No, Él se volvió hacia sus discípulos, justo como Él se dirige a usted y a mí hoy y les dijo: "¿Ustedes también desean dejarme?".

¿Qué es lo que evitará que los niños que están frente a usted huyan de Jesús, al igual que lo hicieron muchos de los primeros discípulos? Creer que Jesús se encuentra verdaderamente presente en la Eucaristía.

Por esa razón, esta es la clase más importante que usted enseñará durante todo el año.

| Icono Oración | Leer y Explorar | Ver y Discutir | Muestra lo que Sabes | Diario con Jesús | Medidor de Tiempo |

ORACIÓN DE APERTURA

Paso a Paso

1 Introduzca la oración de apertura diciendo: "Tomemos un momento para tranquilizarnos, hacer silencio, y abrirnos a lo que sea que Dios quiera guiarnos hoy".

2 Hagan juntos la Señal de la Cruz. Lea la oración de apertura lentamente y en forma reflexiva.

La oración diaria es una oportunidad para fortalecer nuestra conexión con Dios.

Punto Decisivo

Mis Notas:

_____

_____

_____

_____

_____

_____

_____

_____

4
La Eucaristía

Dios nuestro, Padre amoroso,
gracias por todas las formas en que me bendices.
Ayúdame a estar consciente de que cada persona,
cada lugar, y cada aventura que experimento
es una oportunidad para amarte más.
Lléname con el deseo de cambiar y crecer,
y dame la sabiduría para escoger ser
la-mejor-versión-de-mí-mismo/a en
cada momento de cada día.

Amén.

4 minutos

Con Él tenemos la certeza de que, si le pedimos algo conforme a su voluntad, nos escuchará.

Juan 5, 14

VER Y DISCUTIR

Paso a Paso

1 Presente el Episodio 1 diciendo: "¡Prepárense para descubrir qué sucede cuando Ben se olvida de alimentar a Hemingway! Una pista: "¡involucra el zapato de Ben, queso y dientes muy filosos!".

2 Vean el Episodio 1.

3 Pregúnteles: ¿Qué alimenta nuestra alma?

- LA PALABRA DE DIOS, LA EUCARISTÍA, LA ORACIÓN, EL SERVICIO, LAS ESCRITURAS Y NUESTRA COMUNIDAD DE FE.

En la Eucaristía, Jesús alimenta y empodera a su Iglesia. Todo depende de la Eucaristía.

Conversión del Pastor de una Mega Iglesia.

Alimento para el Alma

Dios te ha bendecido de muchas maneras, y no ha terminado de bendecirte. Todavía hay miles de bendiciones que Dios quiere derramar sobre ti. Una de las grandes bendiciones que Dios quiere compartir contigo es la Eucaristía. ¡Cada día te acercas más al momento de recibir a Jesús en la Eucaristía! ¿Estás emocionado/a?

La Eucaristía es alimento para el alma. Así es, a tu alma le da hambre igual que tu cuerpo. Es fácil saber cuándo tu cuerpo tiene hambre porque tu estómago gruñe y tú te sientes débil y cansado. Pero ¿cómo sabes cuando tu alma tiene hambre? Cuando nuestra alma tiene hambre nos volvemos intranquilos, impacientes, enojados y egoístas. Además, cuando nuestra alma esta hambrienta se nos hace más difícil hacer lo que sabemos que debemos hacer.

Cuando nuestra alma tiene hambre, necesitamos alimentarla. La Eucaristía es el alimento más grande para el alma, pero también podemos alimentar nuestra alma con la oración, las Escrituras, y sirviendo al prójimo.

Mis Notas:

_____

_____

_____

_____

_____

_____

_____

Tú alimentas tu cuerpo todos los días. No esperas a que esté hambriento para alimentarlo. Tienes una rutina regular de comidas y meriendas para asegurar que tu cuerpo tenga el alimento y la energía que necesita para crecer. También necesitamos una rutina como esa para alimentar nuestra alma. Esa rutina incluye la oración diaria, dar gracias antes de las comidas, servir al prójimo y, por supuesto, la Misa dominical.

La Misa es una bendición increíble porque alimenta tu alma de muchas maneras. La Palabra de Dios alimenta tu alma, recibir el Cuerpo y la Sangre de Cristo en la Eucaristía alimenta tu alma, y participar en una comunidad de fe alimenta tu alma.

Ya hablamos sobre la Palabra de Dios y cuán importante es escuchar a Dios. Ahora, hablemos sobre cómo Él nos alimenta con la Eucaristía.

🕐 5 minutos

sugerencia

La ilustración representa a los israelitas reuniendo Maná en el desierto. Si el tiempo lo permite, cuénteles a los niños lo que significa la imagen. Dios envió a los israelitas comida del cielo para que pudieran sobrevivir durante su viaje a través del desierto. Fue un milagro diario realizado por un Dios que ama a su pueblo. Todos los días en todas las Misas alrededor del mundo, Dios realiza un milagro aún más asombroso para nosotros a través de la Eucaristía.

Jesús es el hambriento. Creo que Dios está más hambriento de nuestro amor que nosotros de su amor. Él está más hambriento de dar su amor que nosotros de recibirlo.

Santa Teresa de Calcuta

VER Y DISCUTIR

Paso a Paso

1 Presente el Episodio 2 diciendo: "El Padre Tom les está ayudando a Ben, Sarah, Elijah, Tiny, Max, Isabella y Jessica a entender la Liturgia de la Eucaristía".

2 Vean el Episodio 2.

Tenemos un hambre universal por lo auténtico, un anhelo de ser y convertirnos en todo lo que somos capaces y fuimos creados para ser. Todo lo bueno de nuestro futuro depende de si seguiremos o no ese anhelo.

Redescubre el Catolicismo.

Liturgia de la Eucaristía

Dios te ha bendecido mucho al hacerte parte de la Iglesia Católica. Una de las muchas razones es, que los católicos podemos recibir la Eucaristía. Tú puedes recibir el Cuerpo y la Sangre de Jesús. La Eucaristía es algo único de los católicos.

Tú eres católico/a. Dios te ha bendecido.

La Liturgia de la Eucaristía está dividida en tres partes: el Ofertorio, la Oración Eucarística, y la recepción de la Sagrada Comunión.

Todo esto es muy importante, Así que vamos a revisarlo juntos paso a paso.

Mis Notas:

_____

_____

_____

_____

_____

_____

_____

8 minutos

sugerencia

Los niños aprenderán no solo de las palabras que usted dice, sino también de la manera en que usted vive. Tome en serio las palabras de San Pablo a Tito: "Tú mismo serás un ejemplo para ellos cuando vean tu conducta, tu enseñanza desinteresada, tu honradez, tu predicación sana e intachable. Con esto los de fuera no encontrarán cosa alguna que criticar y más bien se sentirán avergonzados . . . " (Tito 2, 7–8).

Cuando vio el video, ¿aprendió algo nuevo acerca de la Liturgia de la Eucaristía? O ¿hubo algo que realmente lo/a impactó? Si es así, ¡compártalo con los alumnos!

La Eucaristía es el secreto de mi día. Me da fuerza y le da significado a todas mis actividades de servicio a la Iglesia y al mundo entero.

San Juan Pablo II

115

LEER Y EXPLORAR

Paso a Paso

1 Léales a los niños los párrafos quinto y sexto en voz alta.

2 Pídales a los niños que escriban en sus libros algo que les gustaría pedirle a Dios el domingo. Tiene que ser algo que les ayude a ser mejores personas.

Ofrece todo a Dios. Coloca tu mente y tu espíritu sobre el altar para que Dios pueda transformarlo todo.

Vuelve a Descubrir a Jesús

El Ofertorio

A lo largo de la Misa, Dios nos da momentos para hacer una pausa y experimentar sus muchas maravillas. El Ofertorio es uno de esos momentos.

Durante el Ofertorio, usualmente, una familia de la parroquia trae el pan y el vino, junto con el dinero que ponemos en las cestas de la colecta para la Iglesia y para los pobres. Luego, el sacerdote prepara esas ofrendas para ofrecérselas a Dios.

Al mismo tiempo que se llevan las ofrendas hacia el altar y el sacerdote está preparando las ofrendas, nosotros también nos ofrecemos completamente a Dios. Podemos hacer esto con una simple oración en nuestro corazón. Aquí tienes un ejemplo:

> **Señor, me entrego a ti completamente. Enséñame, guíame, y aliméntame con la Eucaristía para que pueda servirte en este mundo, y vivir contigo en el Cielo para siempre.**

El Ofertorio es también un gran momento para presentarle tus problemas a Dios y pedirle ayuda. Si hay alguien que sabes que está sufriendo o si hay algo con lo que tu estas luchando, pídele a Jesús que sane la situación. Él es el gran Sanador. El Ofertorio es un momento perfecto para pedirle a Jesús, el Sanador, que intervenga en tu vida. Aquí tienes unos ejemplos:

> **Jesús, ayúdame a estudiar mucho para mi examen.**
> **Jesús, mi amiga está enferma. Ayúdala a mejorarse.**
> **Jesús, mi hermano/a hirió mis sentimientos.**

Mis Notas:

_____
_____
_____
_____
_____
_____
_____
_____

Ayúdame a perdonarlo/a.
Jesús, ayúdame a escuchar mejor a mis padres.

Estás en un largo camino con Dios. Tu destino es el Cielo. Dios quiere ser tu guía y tu compañero en el camino. Él quiere que tú lo invites a ser parte de todo lo que te pasa aun las cosas más pequeñas, para poder guiarte y aconsejarte lo mejor posible. Dios quiere ayudarte a convertirte en la-mejor-versión-de-ti mismo/a, crecer en virtud, y vivir una vida santa.

sugerencia

Comparta algo que necesita cambiar de usted mismo/a para mejorar su vida, y que le gustaría pedírselo a Dios en la Misa del domingo.

🕐 **5 minutos**

_____
_____
_____
_____
_____
_____
_____

Dame tu corazón, hijo mío, y deja que tus ojos se deleiten en mis caminos

Proverbios 23, 26.

LEER Y EXPLORAR

Paso a Paso

1 Pregúnteles a los alumnos: "¿Cuál es la parte más importante de la Misa?".

- LA ORACIÓN EUCARÍSTICA ES LA PARTE MÁS IMPORTANTE DE LA MISA.

2 Si el tiempo lo permite, formule una pregunta de seguimiento: "¿Por qué la Oración Eucarística es la parte más importante de la Misa?"

- PORQUE ES CUANDO JESÚS VIENE A ESTAR CON NOSOTROS.

La Eucaristía es nuestra comida familiar. Es el regalo de Dios. Nuestra adoración se enfoca en el altar, porque es ahí como y donde Jesús se nos presenta.

Allen Hunt

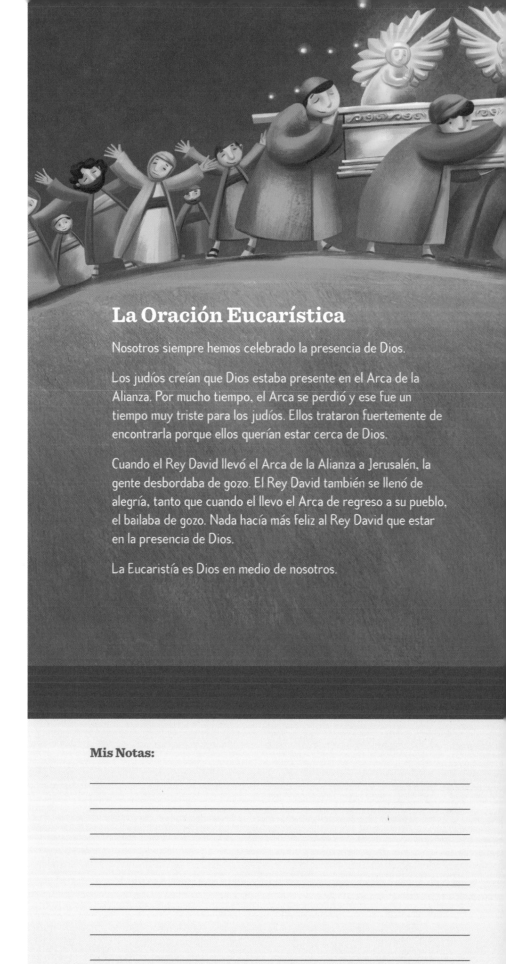

La Oración Eucarística

Nosotros siempre hemos celebrado la presencia de Dios.

Los judíos creían que Dios estaba presente en el Arca de la Alianza. Por mucho tiempo, el Arca se perdió y ese fue un tiempo muy triste para los judíos. Ellos trataron fuertemente de encontrarla porque ellos querían estar cerca de Dios.

Cuando el Rey David llevó el Arca de la Alianza a Jerusalén, la gente desbordaba de gozo. El Rey David también se llenó de alegría, tanto que cuando el llevo el Arca de regreso a su pueblo, el bailaba de gozo. Nada hacía más feliz al Rey David que estar en la presencia de Dios.

La Eucaristía es Dios en medio de nosotros.

Mis Notas:

_____

_____

_____

_____

_____

_____

_____

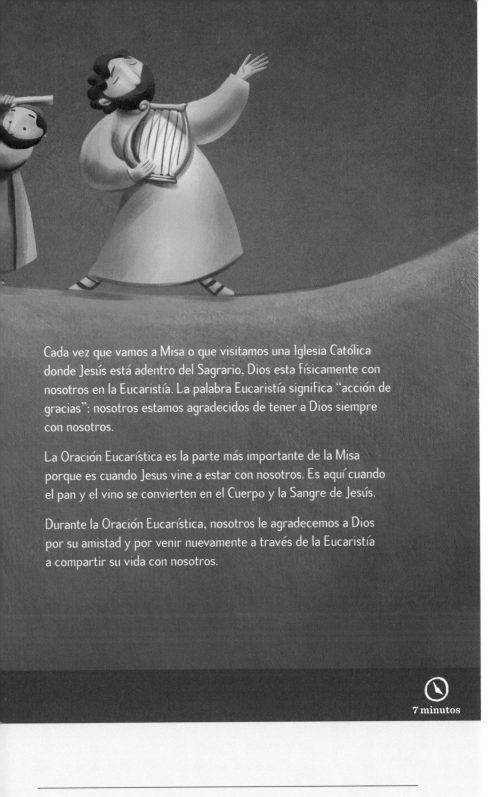

Cada vez que vamos a Misa o que visitamos una Iglesia Católica donde Jesús está adentro del Sagrario, Dios esta físicamente con nosotros en la Eucaristía. La palabra Eucaristía significa "acción de gracias": nosotros estamos agradecidos de tener a Dios siempre con nosotros.

La Oración Eucarística es la parte más importante de la Misa porque es cuando Jesus vine a estar con nosotros. Es aquí cuando el pan y el vino se convierten en el Cuerpo y la Sangre de Jesús.

Durante la Oración Eucarística, nosotros le agradecemos a Dios por su amistad y por venir nuevamente a través de la Eucaristía a compartir su vida con nosotros.

🕐 **7 minutos**

David bailó delante del Señor con todas sus fuerzas.

2 Samuel 6, 14

LEER Y EXPLORAR

Paso a Paso

1 Invite a los niños a explorar la ilustración.

2 Pregúnteles: "¿De qué parte de la historia de Jesús es esta imagen?"

- CUANDO ENTRA JESÚS A JERUSALÉN ANTES DE SER ASESINADO. RECORDAMOS ESTE MOMENTO TODOS LOS AÑOS EL DOMINGO DE RAMOS.

3 Compártales a los alumnos: "Cuando Jesús entró en Jerusalén por última vez, la gente tendió ramas de palmas y gritaron: "¡Hosanna! ¡Bendito es el que viene en el nombre del Señor! ¡Bendita es la venida de nuestro antepasado David! ¡Hosanna en las alturas!" (Marcos 11, 9–10). ¿Les suena familiar?".

El camino de Dios es uno de paz y orden.

Punto Decisivo

La Consagración

La Consagración es el momento en que el pan y el vino se convierten en el Cuerpo y la Sangre de Jesús. Este es un momento increíble — es por eso que nos arrodillamos para la Consagración. Arrodillarse es una sencilla y profunda señal de reverencia. Cuando nos arrodillamos durante la Misa, es una señal de que algo asombroso está a punto de pasar.

Justo antes de arrodillarnos, rezamos el *Santo, Santo, Santo* juntos como una familia parroquial:

Mis Notas:

_____

_____

_____

_____

_____

_____

_____

_____

Santo, Santo, Santo, Señor Dios del Universo.
Los Cielos y la Tierra están llenos de Tu gloria.
Hosanna en las alturas.
Bendito es el que viene en Nombre del Señor.
Hosanna en las alturas.

Ahora nos arrodillamos y nos preparamos para el gran momento de la Consagración. En preparación para la Consagración, el sacerdote nos recuerda lo que pasó en la Última Cena. La primera Eucaristía.

Para consagrar el pan y el vino, el sacerdote dice las mismas palabras que Jesús dijo durante la Última Cena:

Esto es mi Cuerpo que será entregado por ustedes;
Este es el cáliz de mi Sangre, Sangre de la alianza
nueva y eterna, hagan esto en memoria mía.

8 minutos

_____
_____
_____
_____
_____
_____
_____

sugerencia

Si el tiempo lo permite, compártales a los niños por qué Hosanna es una palabra tan especial. Al final de su vida Jesús regresó a Jerusalén por última vez, cuando llegó la multitud dijo: "¡Bendito el que viene en el nombre del Señor! ¡Hosanna en las alturas!" (Mateo 21, 9). La gente usó la palabra Hosanna porque querían que Jesús se salvara para salvarlos. De manera que, cuando usamos esa palabra en la Misa, estamos reconociendo que Jesús es nuestro salvador.

Mientras más te alejes de la Comunión, más se debilitará tú alma y al final te volverás peligrosamente indiferente.

San Juan Bosco

LEER Y EXPLORAR

Paso a Paso

1 Actividad: ¡ESTIRAMIENTO! Pídales a los niños que se pongan de pie y sigan sus instrucciones para energizarse rápidamente. Traten de tocar el techo, luego el piso. Estírense hacia a la derecha, luego a la izquierda. Si es posible, acompañe la actividad con un poco de música. Ponga la canción "Brillará" si tiene el CD de Dios *Te ha Bendecido: una colección de canciones para los jóvenes de corazón.*

Estos misterios son un misterio, pero si los abordamos con humildad, a menudo y con reverencia, Dios nos dará un amor y una comprensión cada vez mayor de ellos.

Redescubre el Catolicismo

122

Padre Nuestro

Este es el momento de la Consagración. Después que el sacerdote dice estas palabras, el pan y el vino se convierten en el Cuerpo y la Sangre de Jesús. La Consagración de la Eucaristía es uno de los grandes misterios de nuestra fe.

La Oración Eucarística termina con el Gran Amén. Algunas veces decimos el Amén y otras lo cantamos. De cualquier manera debemos decirlo en voz alta y con seguridad. Esta es nuestra manera de decir "¡Sí Jesús, yo creo en Ti! ¡Creo que el pan y el vino acaban de convertirse en tu Cuerpo y tu Sangre!"

Después del Gran Amén, nos ponemos de pie y rezamos el *Padre Nuestro* juntos.

Mis Notas:

_____

_____

_____

_____

_____

_____

_____

_____

¿Recuerdas una de las principales razones por las que Jesús nos enseñó esta oración? Vamos a recordarla por un momento.

Dios te ha bendecido. Eres el hijo o la hija de un gran Rey. Jesús quería que siempre recordáramos que Dios es nuestro Padre y que somos hijos de Dios.

El *Padre Nuestro* nos recuerda la primera bendición que Dios nos da: ¡la vida!

Después del *Padre Nuestro*, el sacerdote le pide a Dios que nos llene con su paz. ¿Recuerdas cómo antes hablamos que a tu alma le da hambre? Una señal de que tu alma tiene hambre es que no tienes paz en tu corazón. Tu alma apetece paz.

Dios quiere llenarte con su paz para que puedas salir al mundo y compartirla con todos los que se crucen en tu camino.

5 minutos

_____
_____
_____
_____
_____
_____
_____

¿Tiene una oración favorita de la Misa? Si la tiene, compártasela a los niños. Mi oración favorita viene justo después del Padre Nuestro cuando el sacerdote dice: "Líbranos, Señor, de todo mal y concédenos la paz en nuestros días, para que ayudados por tu misericordia, vivamos siempre libres de pecado y protegidos de toda perturbación, mientras esperamos la gloriosa venida de nuestro Salvador Jesucristo".

Adquiere el espíritu de paz y miles a tu alrededor se salvarán.

San Serafín de Sarov

VER Y DISCUTIR

Paso a Paso

1 Introduzca el Episodio 3 diciendo: "El Padre Tom lleva a Ben, Sarah, Hemingway y sus amigos a una gran aventura. ¡Descubramos juntos hacia a dónde van!"

2 Vean el Episodio 3.

3 Lea en voz alta Juan 3, 16 en la página 124.

4 Pídales que pasen a la página 125 y que lean juntos y en voz alta el último párrafo de esa página.

5 Pregúnteles a los niños cómo se sintieron al decir esas palabras.

El catolicismo es una poderosa fuerza que humaniza nuestras vidas cuando lo abrazamos con corazones humildes.

Solo una Cosa

124

La Sagrada Comunión

Cuando recibes la Sagrada Comunión Jesús se entrega a ti completamente. En las oraciones que llevan a la Consagración recordamos que Jesús murió por nosotros en la cruz para salvarnos de nuestros pecados. Esto no está ahí para hacerte sentir culpable; sino para hacer que te sientas amado/a. Dios quiere que recuerdes cuánto significas para Él.

Uno de los pasajes más famosos de toda la Biblia es Juan 3:16:

> Porque Dios amó tanto al mundo que le envió a su único Hijo, para que todo el que cree en El no perezca sino que tenga vida eterna.

Mis Notas:

_____

_____

_____

_____

_____

_____

_____

Dios te amó tanto que envió a su único Hijo, Jesús, para que tú pudieras tener vida eterna. Porque Dios te amó tanto a TI que envió a Jesús para que TU pudieras tener vida eterna! En efecto, ¡Dios te ama y Dios te ha bendecido!

Digamos junto en voz alta:

Dios me ama tanto que envió a su Hijo Jesús para que yo pudiera tener vida eterna y vivir con Él para siempre en el Cielo.

8 minutos

_____
_____
_____
_____
_____
_____
_____
_____

sugerencia

Juan capta todo el mensaje del Evangelio en un versículo. Tómese un momento para compartirles a los niños lo mucho que significa para usted el amor de Dios.

Alaba al Señor con alegría; lleguen hasta Él con cantos jubilosos.

Salmo 100, 2

LEER Y EXPLORAR

Paso a Paso

1 Léales a los niños el texto en voz alta.

2 Pregúnteles si tienen alguna pregunta sobre qué pasará cuando reciban a Jesús por primera vez. Esté preparado/a para iniciar la conversación compartiendo un recuerdo de su Primera Comunión.

El momento en que recibo la Eucaristía es un momento crucial en mi semana. Es un momento de transformación, un momento en el que puedo recibir a aquel y aquello en lo que deseo convertirme.

Solo una cosa

¿Cómo se sintió eso?

Dios quiere que siempre te sientas amado/a. Y cuando recibas a Jesús en la Eucaristía, será un momento especial lleno del amor de Dios.

Si alguna vez llegas a escalar una montaña enorme, notarás que la sensación de mirar los vastos alrededores desde la cima de esa montaña, es una experiencia asombrosa. La Misa es como escalar una gran montaña. Recibir la Eucaristía es la cima de la montaña, el pináculo de la Misa.

Dios nos da de comer el alimento supremo para el alma en la cima de la montaña de la Misa. La Eucaristía es alimento para el alma. Cada domingo, en la Misa, Dios nos llena con la Eucaristía para ayudarnos a convertirnos en la-mejor-versión-de-nosotros-mismos, crecer en virtud, y vivir una vida santa.

Mis Notas:

_____

_____

_____

_____

_____

_____

_____

Recibir la Sagrada Comunión es un regalo increíble que nunca debemos dar por hecho.

Cuando llegue el momento de recibir a Jesús, te pondrás de pie ante el sacerdote, el diácono o el ministro extraordinario y él levantará la Hostia y dirá, "El Cuerpo de Cristo"; Tú responderás diciendo, "Amén", y entonces consumirás la Hostia.

4 minutos

_____

_____

_____

_____

_____

_____

_____

_____

sugerencia

¿Sabía usted que menos del 1% de los católicos que creen que Jesús está realmente presente en la Eucaristía se alejan de la Iglesia? Es verdad. En cada Misa, Dios quiere alimentar a sus hijos con la mejor comida para el alma. Y usted puede ayudar a estos niños a prepararse para tener una vida llena del ialimento nutritivo para el alma!

Cuando recibas la Sagrada Comunión, cierra tus ojos corporales para que puedas abrir los ojos de tu alma. Y luego, busca a Jesús en el centro de tu corazón.

Santa Teresa de Ávila

Paso a Paso

1 Introduzca el Episodio 4 diciendo: "El Padre Tom compartirá una historia increíble sobre un milagro que tuvo lugar en Italia. ¡No puedo esperar a que lo escuchen!".

2 Vean el Episodio 4.

> La creencia de que Jesús está realmente presente en la Eucaristía, no simbólicamente, parece ser una de las diferencias clave entre los católicos altamente comprometidos y los que se alejan de la Iglesia.

Solo una cosa

La Presencia Real

Jesús está verdaderamente presente en la Eucaristía. No es un símbolo; es Jesús. Este es uno de los misterios más hermosos de la fe católica.

Cuando Jesús empezó a hablarle a la gente sobre la Eucaristía, a algunos les resultó difícil creerlo. A través de los siglos, otros también han dudado que Jesús esté realmente presente en la Eucaristía.

En el siglo VIII, había un sacerdote en Italia que estaba teniendo esas dudas. Un día mientras celebraba la Misa, en el momento de la consagración, el pan y el vino se convirtieron literalmente en la Carne y la Sangre de Cristo. ¡Fue un milagro increíble! Y la Iglesia lo llamó: milagro eucarístico.

Normalmente, durante la Misa, no podemos ver el cambio físico del pan y del vino en el Cuerpo y la Sangre de Cristo. Tenemos fe en que el cambio ocurre. Pero en ese momento particular en el tiempo, Dios decidió mostrarle al mundo lo que pasa durante cada Misa.

Hoy día puedes viajar a Lanciano, Italia, donde ocurrió el milagro, y ver la Carne y la Sangre de ese milagro ocurrido hace mil años.

Cada vez que vas a Misa, la transformación del pan y el vino en el Cuerpo y la Sangre de Cristo ocurre. Jesús está realmente presente en la Eucaristía. ¡Este es un regalo sorprendente! Dios te ha bendecido al poder recibir a Jesús en la Eucaristía.

Mis Notas:

_____

_____

_____

_____

_____

_____

_____

4 minutos

sugerencia

Comparta su propio asombro sobre el hecho de que la Eucaristía no es un símbolo, sino la presencia real de Jesús. Hable sobre su parte favorita del milagro en Lanciano. No se avergüence de compartir sus sentimientos personales sobre el milagro. Sus estudiantes disfrutarán escuchando sus pensamientos.

Yo soy el pan de Vida. El que viene a mí jamás tendrá hambre; el que cree en mí jamás tendrá sed.

Juan 6, 35

129

VER Y DISCUTIR

Paso a Paso

1 Presente el Episodio 5 diciendo: "Ben nos va a hablar sobre el momento en que los discípulos recibieron su Primera Comunión".

2 Vean el Episodio 5.

Decir que estamos aburridos—en cualquier momento de nuestras vidas—es un insulto masivo a Dios, pero decir que estamos aburridos durante la Misa es llevar el insulto a otro nivel.

Resistiéndote a la Felicidad.

De la Biblia: La Última Cena

La noche antes de morir, Jesús reunió a sus discípulos para una última comida juntos. Era la fiesta judía de la Pascua.

Mientras estaban sentados juntos a la mesa, Jesús les habló sobre cómo Él iba a ser traicionado y a sufrir.

Entonces, mientras estaban comiendo, Jesús tomó pan, y después de bendecirlo, lo partió y se lo dio a los discípulos diciendo: "Tomen y coman todos de él, porque esto es mi Cuerpo". Entonces tomó un cáliz, y después de dar gracias, se los dio diciendo, "Tomen y beban todos de él, porque éste es el cáliz de mi Sangre, que será derramada por muchos, para el perdón de sus pecados".

Cuando terminaron su cena, ellos partieron hacia el Monte de los Olivos.

Adaptado de Mateo 26,26-30.

Mis Notas:

_____

_____

_____

_____

_____

_____

_____

Esto es conocido como la Ultima Cena, la comida más famosa de la historia del mundo. En la Ultima Cena, Jesús hizo algo increíble. Él transformó el pan y el vino común en su Cuerpo y su Sangre. La Ultima Cena fue la primera Eucaristía, y la Primera Comunión de los discípulos.

Fue allí, en esa habitación, hace más de dos mil años, que Jesús se entregó a los discípulos. Y cada vez que nosotros recibimos la Eucaristía, ¡Él se entrega a nosotros de la misma manera!

Jesús quiere que lo invites a tu vida. Él quiere ser tu amigo. Él quiere animarte, guiarte, escucharte, y amarte. Jesús quiere ayudarte a convertirte en la-mejor-versión-de-ti-mismo/a, a crecer en virtud, y a vivir una vida santa. ¡Dios te ha bendecido!

3 minutos

sugerencia

Si el tiempo lo permite, pregúnteles a los niños qué creen que sintieron los discípulos durante la Última Cena. ¿Estaban nerviosos, emocionados, confundidos, agradecidos, humildes, honrados, felices?

Si tan solo nos detuviéramos por un momento para considerar con atención lo que ocurre en este Sacramento, estoy segura de que solo pensar en el amor de Cristo por nosotros transformaría la frialdad de nuestros corazones en un fuego de amor y gratitud.

Santa Ángela de Foligno

VER Y DISCUTIR

Paso a Paso

1 Introduzca el Episodio 6 diciendo: "En este episodio, Ben y Sarah nos dan algunas deas geniales sobre cómo podemos compartir las bendiciones de Dios con los demás".

2 Vean el Episodio 6.

Ser uno con Dios es algo hermoso y—ya sea que lo sepas o no—es tu anhelo más profundo. Tú tienes un anhelo insaciable de ser uno con Dios.

Punto Decisivo

Jesús Está Dentro Ti

Luego de recibir a Jesús en la Eucaristía, tú regresarás a tu asiento. En ese momento, Jesús está dentro de ti. ¡Asombroso!

Si Jesús viniera a visitarte a tu casa, imagina cómo tú te prepararías para su llegada. Imagina lo emocionado/a y ansioso/a que estarías, e imagínate cómo te sentarías junto Él a escuchar todo lo que Él tiene que decir.

Bueno, en la Misa, Jesús no solo viene a visitarnos, sino que hace su hogar dentro de nosotros cuando recibimos la Eucaristía; por lo que es un momento muy especial para rezar.

Arrodíllate o siéntate, cierra los ojos, y háblale a Jesús en tu corazón. Este es un momento muy especial. Jesús está dentro de ti. Dale gracias por todas las maneras en que te ha bendecido. Cuenta tus bendiciones, una por una, con Jesús.

Mis Notas:

_____

_____

_____

_____

_____

_____

_____

La Eucaristía energiza y alimenta nuestra alma. Cada vez que recibes la Eucaristía, recibes muchos dones. Esta es una lista corta de esos dones:

Amistad con Jesús
Deseo de hacer la voluntad de Dios
Limpieza de pecados veniales
Hambre de virtud
Gracia para evitar pecar en el futuro
Un corazón que escucha al Espíritu Santo.
Deseo de conocer y amar a Dios.

Tu Primera Comunión es un evento muy importante en tu vida, pero cada vez que recibimos a Jesús en la Eucaristía es un regalo increíble que nunca debemos dar por hecho.

5 minutos

sugerencia

El momento que sigue luego de recibir la Comunión es muy especial. Anime a los niños a que utilicen ese tiempo para agradecerle a Dios por todas las formas en que los ha bendecido. Recuérdeles que ese es un momento muy especial entre ellos y Jesús.

En un mundo siempre cambiante, la Sagrada Eucaristía es un recordatorio constante del gran amor inmutable de Dios.

Santa Teresa de Calcuta.

LEER Y EXPLORAR

Paso a Paso

1 Léales a los niños, en voz alta, los dos últimos párrafos.

2 Pregúnteles: "¿Cómo pueden compartir sus bendiciones con los demás?".

- AYUDANDO A UN AMIGO CON LA TAREA
- LIMPIANDO MÍ CUARTO
- HACIENDO UNA TARJETA DE AGRADECIMIENTO PARA MI PADRES O ABUELOS
- HACIENDO MIS TAREAS SIN QUE NADIE ME LO PIDA
- DONANDO ROPA

En el momento final de la Misa se nos da la misión de ir e iluminar los caminos de este mundo con el amor de Cristo. Un amor que está dispuesto a sacrificarse por los demás, un amor que no tiene límites.

Redescubre el Catolicismo

Mis Notas:

_____

_____

_____

_____

_____

_____

_____

Ritos de Conclusión

Después de haber tenido unos minutos de oración en silencio con Jesús, es hora de la oración final y la bendición.

> **Sacerdote: Que Dios los bendiga en el Nombre del Padre, y del Hijo, y del Espíritu Santo.**
> **Todos: ¡Amén!**
> **Sacerdote o Diácono: La Misa ha terminado, vayan en paz.**
> **Todos: ¡Demos gracias a Dios!**

En la bendición final somos enviados. ¿Enviados a hacer qué? La obra de Dios en el mundo. Al terminar la Misa, Dios nos envía en una misión. Él nos ha alimentado con su Palabra y con la Eucaristía. Él te ha provisto con todo lo que necesitas para llevar su amor al mundo en que vives.

Dios te ha bendecido y Dios quiere que vayas al mundo y compartas sus bendiciones con los demás.

6 minutos

---

sugerencia

Los niños no son demasiado pequeños para empezar a pensar en cómo pueden compartir sus bendiciones. ¡Están en la edad perfecta para comenzar a crear hábitos de piedad! Los grandes líderes proyectan la visión de lo que sus alumnos podrían llegar a ser y los ayudan a convertirse en lo que son capaces de ser.

Recibirán la fuerza del Espíritu Santo que descenderá sobre ustedes; y serán mis testigos en Jerusalén, en toda Judea y Samaría, y hasta los confines de la tierra.

Hechos 1, 8

135

MUESTRA LO QUE SABES

Paso a Paso

1 Pídales a los niños que completen la página de actividades, ya sea ellos solos, con un compañero/a o en grupo.

2 Después de tres minutos pregúntele a la clase: "¿Hay algunas preguntas con las que tengan dificultad?".

3 Brevemente responda las preguntas que ellos tengan y refiéralos a la página correspondiente a la pregunta en el libro de trabajo.

Edificar el carácter es una tarea solo para los valientes y dedicados.

El Ritmo de la Vida

Muestra lo que Sabes

Verdadero o Falso

1. __V__ Una de las grandes bendiciones que Dios quiere compartir contigo es la Eucaristía. (p 101)

2. __V__ La Eucaristía es algo único de los Católicos. (p 86)

3. __F__ El pan y el vino no se transforman en el Cuerpo y la Sangre de Jesús. (p 80)

4. __F__ La Eucaristía no alimenta nuestra alma. (p 100)

5. __V__ Jesús está realmente presente en la Eucaristía. (p 101)

Llena los Espacios en Blanco

1. Dios quiere derramar sobre ti _____miles_____ de bendiciones. (p 100)

2. La _____Eucaristía_____ es alimento para tu alma. (p 83)

3. Dios te ha bendecido mucho al ser_____Católico/a_____.

4. Recibir la Sagrada Comunión es un _____regalo_____ increíble que nunca debemos dar por hecho. (p 100)

5. Estás un largo _____camino_____ con Dios y tu destino es el _____cielo_____. (p 84)

Mis Notas:

_____

_____

_____

_____

_____

_____

_____

6. La Consagración es el momento en que el pan y el vino se transforman en el ___cuerpo___ y la ___sangre___ de Jesús.   (p 84)

7. Para consagrar el pan y el vino, el sacerdote dice las mismas palabras que Jesús usó durante la ___última cena___.   (p 86)

8. Dios quiere llenarte de ___paz___ para que puedas ir al mundo y compartirla con todos los que crucen tu camino.   (p 100)

9. ¡Dios te ___ama___ tanto que envió a su Hijo, Jesús, para que pudieras tener vida eterna!   (p 100)

10. Dios te ha ___bendecido___ y Dios quiere que vayas al mundo y compartas tus ___bendiciones___ con los demás.   (p 100–101)

Lista de Palabras

CATÓLICO/A	CIELO
CUERPO	SANGRE
BENDICIONES	CAMINO
ÚLTIMA CENA	AMA
MILES	EUCARISTÍA
PAZ	BENDECIDO
REGALO	

8 minutos

sugerencia

Si no queda mucho tiempo, usted puede decidir completar esta sección en grupo. Simplemente lea cada pregunta de llenar los espacios en blanco y de verdadero o falso en voz alta, e invite a los estudiantes a responder en voz alta también. Una vez que alguien diga la respuesta correcta, pídales a todos que la escriban en su libro de trabajo. Si no hay suficiente tiempo pídales a los niños que completen el ejercicio como tarea.

La verdadera manera de desarrollar las santas virtudes es perseverando en la santa alegría.

San Felipe Neri

137

DIARIO CON JESÚS

Paso a Paso

1 Invite a los niños a escribirle una carta a Jesús.

2 Pídales que permanezcan en silencio mientras escriben en su diario.

3 Sí usted lo desea puede poner música tranquila de fondo para ayudar a crear un ambiente propicio a la reflexión y motivar a los estudiantes a permanecer en silencio y enfocados en el diario con Jesús.

Nuestros mejores días son aquellos en los que permanecemos conectados con Dios durante todo el día.

Vuelve a Descubrir a Jesús.

Mis Notas:

_____
_____
_____
_____
_____
_____
_____
_____

Diario con Jesús

Querido Jesús,

Yo sé que nunca me abandonarás porque . . .

_____

_____

_____

_____

_____

_____

_____

_____

5 minutos

_____

_____

_____

_____

_____

_____

_____

_____

sugerencia

Camine alrededor del salón mientras los niños escriben. Hágales saber que está aquí para ayudarles si lo/a necesitan. Su presencia será tranquilizadora, pero también los mantendrá enfocados durante la actividad.

Cuando Jesús le habló nuevamente a la gente, Él dijo: "Yo soy la luz del mundo". El que me sigue nunca andará en tinieblas, sino que tendrá la luz de la vida".

Juan 8, 12

ORACIÓN FINAL

Paso a Paso

1 Prepare a los niños para rezar con Ben. Espere a que se calmen y hagan silencio.

2 Vean el Episodio 7.

3 Pregúnteles a los niños: "¿Cuáles son algunas de las cosas más importantes que aprendieron en esta sesión?"

- JESÚS ESTÁ VERDADERAMENTE PRESENTE EN LA EUCARISTÍA.

- LA EUCARISTÍA ES ALIMENTO PARA NUESTRAS ALMAS.

- LA SAGRADA COMUNIÓN ES UNA BENDICIÓN DE POR VIDA QUE NUNCA DEBEMOS DAR POR SENTADA.

- TENGO LA BENDICIÓN DE SER CATÓLICO/A.

- LA ORACIÓN EUCARÍSTICA ES LA PARTE MÁS IMPORTANTE DE LA MISA.

- DIOS ME AMA TANTO QUE ENVIÓ A SU ÚNICO HIJO PARA SALVARME.

- LA PRIMERA COMUNIÓN ES UN MOMENTO MUY IMPORTANTE EN MI VIDA.

Oración Final

Hay tanto que descubrir sobre la Misa. Tu podrías pasarte la vida asistiendo a Misa todos los días, y aún al final de tu vida, todavía te sorprenderían todos los hermosos significados que están detrás de todo lo que hacemos y decimos en la Misa.

Nuestro Dios es un Dios de sorpresas. Nunca podemos ponerle límites a aquello de lo que es capaz o a cómo su amor puede transformar cosas comunes, como el pan y el vino, en algo verdaderamente extraordinario, como el Cuerpo y la Sangre de Jesús.

Señor, sorpréndeme hoy.
Sorpréndeme con algún momento
de belleza o dolor.
De modo que al menos por un momento
pueda estarsorprendido de ver que estás aquí
en todo Tu esplendor,
siempre y en todas partes, a penas escondido,
debajo y más allá,
dentro de esta vida que respiro.

Amén.

Frederick Buechner

Mis Notas:

_____

_____

_____

_____

_____

_____

_____

_____

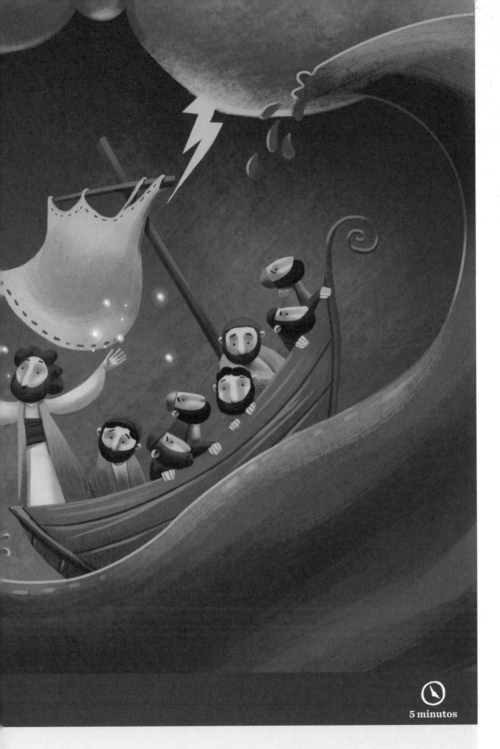

sugerencia

Hechos 1,8 dice: "Recibirán la fuerza del Espíritu Santo que descenderá sobre ustedes, y serán mis testigos en Jerusalén, en toda Judea y Samaría, y hasta los confines de la tierra". Con cada clase, usted está cumpliendo la misión que Jesús le encomendó al compartir el Evangelio con sus alumnos. Nunca olvide que Jesús también cumple su parte del trato. El poder del Espíritu Santo está con usted. No tenga miedo de recurrir al poder del Espíritu Santo una y otra vez.

5 minutos

Pidan y se les dará; busquen y hallarán; llamen y se les abrirá la puerta.

Mateo 7, 7

141

5

Tu Primera Comunión

Guía rápida de la sesión

Oración de Apertura . . . . 5 min

Ver y Discutir; Leer y Explorar . . . . 57 min

Muestra lo que Sabes . . . . 10 min

Diario con Jesús . . . . 10 min

Oración Final . . . . 8 min

OBJETIVOS

- **PROCLAMAR** que los niños están listos para decir "sí" a Dios y recibir su Primera Comunión.

- **EXPLICAR** que la Eucaristía capacitará a los niños para hacer grandes cosas para Dios.

- **ENSEÑAR** que los niños siempre tendrán una invitación abierta, de parte de Dios, para participar en la gran celebración de la Misa.

NO TENGA MIEDO DE . . .

- ## Hacer el ridículo.
- ## Compartir su propia historia.

BIENVENIDA

Puede sonar contradictorio, pero mientras más ridículo/a se sienta al enseñar, mejor será la clase. Ser lo suficientemente vulnerable como para emocionarse mientras lee o comparte una foto de su Primera Comunión puede parecerle incómodo o tonto, pero el impacto que esto puede crear en los niños no puede ser subestimado.

Un poco de entusiasmo extra puede hacer sentir mejor a los niños que estén nerviosos o con dudas sobre si están listos o no para hacer su Primera Comunión. Su entusiasmo les da permiso para disfrutar de la experiencia, hacer preguntas y lo mejor de todo: imitar su entusiasmo.

¡Recibir la Primera Comunión es algo muy grande! Este es su momento de decir "SÍ" a Dios. Así que dígales que ellos están listos para decirle sí a Dios. Ellos están listos para decir "no" a todo aquello que no les ayude a convertirse en la mejor versión de sí mismos. Están listos para caminar con Dios y están listos para recibir a Jesús en la Eucaristía.

Hemos hablado de ello antes, pero vale la pena repetirlo: muy pocas cosas serán más impactantes para los niños que el hecho de que usted comparta con ellos su propia historia—especialmente en esta sesión. Los niños no solo quieren escuchar lo que la Iglesia tiene que decir sobre la Sagrada Comunión. Quieren escuchar acerca de su experiencia.

¿De qué manera la oración y el ayuno han impactado su experiencia de la Misa? ¿Cómo la Eucaristía lo/a ha capacitado para hacer la diferencia? ¿Cómo se siente al saber que Jesús está dentro de usted después de la Sagrada Comunión?

Sentirse ridículo/a es algo bueno. Emociónese. Comparta su historia y cosas increíbles sucederán.

Icono Oración **Leer y Explorar** **Ver y Discutir** **Muestra lo que Sabes** **Diario con Jesús** **Medidor de Tiempo**

ORACIÓN DE APERTURA

Paso a Paso

1 Tómese un momento para esperar que los niños se calmen y hagan silencio.

2 Invite a los niños a prepararse para la oración, cerrando los ojos y haciendo una respiración profunda.

3 Hagan la Señal de la Cruz y lean la oración de apertura lentamente y en forma reflexiva.

La oración nos ayuda a descubrir quiénes somos y para qué estamos aquí.

Punto Decisivo

Mis Notas:

_____

_____

_____

_____

_____

_____

_____

_____

5
Tu Primera Comunión

Dios nuestro, Padre amoroso,
gracias por todas las formas en que me bendices.
Ayúdame a estar consciente de que cada persona,
cada lugar, y cada aventura que experimento
es una oportunidad para amarte más.
Lléname con el deseo de cambiar y crecer,
y dame la sabiduría para escoger ser
la-mejor-versión-de-mí-mismo/a en
cada momento de cada día.

Amén.

5 minutos

Sabemos, además, que en todas las cosas Dios obra para el bien de aquellos que lo aman, de aquellos que Él llamó de acuerdo a su propósito.

Romanos 8, 28

VER Y DISCUTIR

Paso a Paso

1 Presente el Episodio 1 diciendo: "Sarah tiene un regalo especial para Hemingway, ¡descubramos juntos qué es!".

2 Vean el Episodio 1.

El secreto del éxito duradero es saber de dónde vienen tus regalos.

Semillas de Mostaza

Este Es un Día Especial

¿Alguna vez te ha entusiasmado darle un regalo a una persona? Quizás por Navidad o por su cumpleaños. Cuando realmente te entusiasma darle un regalo a alguien, es difícil mantener ese regalo en secreto. Es todavía más difícil esperar hasta el día de la celebración para hacerlo. Puede ser que sientas que estás ¡a punto de explotar!, porque estás tan entusiasmado/a.

Esto es lo que Dios Padre siente cuando Él piensa en darte a Jesús en la Eucaristía. Él sabe cuán especial es este regalo, y apenas puede esperar para compartirlo contigo.

El Día de tu Primera Comunión es un día muy especial. ¡Dios te ha bendecido!

Mis Notas:

_____

_____

_____

_____

_____

_____

_____

_____

La mañana de tu Primera Comunión, antes de vestirte, antes de recibir algún regalo, y hasta antes de desayunar; quédate en silencio y empieza tu día rezándole a Dios. Ahora vamos a practicar juntos:

Padre amoroso, gracias por bendecirme de tantas maneras. Jesús, estoy esperando recibirte en la Eucaristía por primera vez. Espíritu Santo, ayúdame a prestar atención y a sacar el máximo provecho de este día tan maravilloso.

Amén.

Este es un día muy especial. Recordarás tu Primera Comunión el resto de tu vida. ¡Dios te ha bendecido!

5 minutos

sugerencia

En este episodio Ben dirigirá la oración. ¿Los niños rezan junto a Ben y Sarah? Si no lo hacen, aliéntelos a hacerlo. Si lo hacen, refuerce su iniciativa. Siéntase libre de hacer una pausa antes de la oración para pedirles a todos que recen junto a Ben.

Grita en voz alta y canta de alegría, pueblo de Sión, porque grande es el Santo de Israel entre ustedes.

Isaías 12, 6

VER Y DISCUTIR

Paso a Paso

1 Introduzca el Episodio 2 diciendo: "Veamos juntos cómo Ben, Sarah, Hemingway y sus amigos conducen sus bicicletas hacia la casa de Max".

2 Vean el Episodio 2.

Los grandes pensamientos son hermosos. Las grandes acciones son inspiradoras

Punto Decisivo

Estás Creciendo

Cuando piensas en todas las cosas que puedes hacer hoy que no podías hacer hace uno, dos, o tres años, te das cuenta de que estás creciendo rápidamente.

Una de las señales más significativas de que estás creciendo es tu habilidad para asumir la responsabilidad de tus propios actos.

Eres capaz de seguir instrucciones. Por ejemplo, cuando tus padres o maestros te piden hacer algo, puedes comprender lo que te están pidiendo que hagas.

Eres capaz de controlar tus impulsos. Por ejemplo, cuando uno de tus hermanos hace algo que te molesta, eres capaz de controlar tu enojo. Y eres capaz de escuchar tu conciencia y de seguirla. Por ejemplo, si un amigo te pide hacer algo malo, tu escucharás a tu

Mis Notas:

_____

_____

_____

_____

_____

_____

_____

conciencia aconsejándote que no lo hagas — y tú serás capaz de decirle no a tu amigo.

La Iglesia escoge este momento de tu vida para compartir la Eucaristía contigo porque has llegado a la edad de la razón. Cuando llegamos a la edad de la razón, podemos determinar la diferencia entre el bien y el mal y hacernos responsables de nuestros actos.

Tú estás listo/a para decirle sí a Dios. Tú estás listo/a para decirle no a las cosas que no te ayudan a convertirte en la-mejor-versión-de-ti-mismo/a. Estás listo/a para caminar con Dios, y para recibir a Jesús en la Eucaristía.

5 minutos

Los principios morales no dependen de un voto mayoritario. Lo incorrecto es incorrecto, incluso si todo el mundo está en lo incorrecto. Lo correcto es correcto, incluso si nadie está en lo correcto.

Arzobispo Fulton Sheen

VER Y DISCUTIR

Paso a Paso

1 Presente el Episodio 3 diciendo: "¡Veamos juntos cómo Hemingway y Sarah nos ayudan a recordar por qué la preparación es tan importante!".

2 Vean el Episodio 3.

Rezar para poder crecer y ser más como Cristo es el desafío de todo cristiano.

Semillas de Mostaza

La Preparación es Importante

Cuando te estabas preparando para tu Primera Reconciliación hablamos de cuán importante es la preparación. Nosotros los católicos nos preparamos para todo lo que es importante.

Así como los grandes atletas se preparan cada vez que compiten, los católicos se preparan para los momentos más grandes de la vida. Los grandes campeones de nuestra fe son los santos. Todos ellos son maestros de la preparación. Los santos nos enseñan a prepararnos para recibir a Jesús en la Eucaristía.

Mis Notas:

_____

_____

_____

_____

_____

_____

_____

Tú te estás preparando para tu Primera Comunión, pero es importante que tú te prepares no solo para ese día sino también cada vez que vas a recibir a Jesús en la Eucaristía. Nosotros nos preparamos por medio de la oración y el ayuno

La Oración

Una de las mejores maneras para preparase para recibir a Jesús es rezando. La oración es una conversación con Dios. Todos necesitamos tomar unos minutos en el día para sentarnos en un lugar tranquilo y hablar con Él.

A lo largo del día, seguimos nuestra conversación con Dios. Cuando vemos algo asombroso, podemos decir: "¡Increíble!, querido Dios, ¿viste eso?". Cuando tenemos miedo de hacer algo que sabemos que debemos hacer, podemos decir: "Dios, por favor, dame valor para hace esto". Y cuando pasa algo maravilloso, podemos decir: "¡Gracias, Dios, por todas las maneras en que me bendices!".

Vamos a rezar juntos ahora mismo, pidiéndole a Dios que nos ayude en las últimas preparaciones para nuestra Primera Comunión.

Padre amoroso, gracias por todas las maneras maravillosas en que me bendices cada día. Por favor, prepara mi mente, mi corazón, y mi alma para recibir a tu Hijo Jesús en la Eucaristía. Y ayúdame a recordar siempre que Tú quieres lo mejor para mí. Amén.

🕐 5 minutos

sugerencia

¿Se está divirtiendo? Una de las claves para ser un líder eficaz es servir a los niños con alegría. La alegría es el centro de cualquier tipo de servicio que se realiza por otra persona.

Regocíjate siempre, ora continuamente, da gracias en todas las circunstancias; porque esta es la voluntad de Dios para ustedes en Cristo Jesús.

1 Tesalonicenses 5, 16–18

LEER Y EXPLORAR

Paso a Paso

1 Deles a los niños la oportunidad de explorar la ilustración. Anímelos a que hagan preguntas y a pensar creativamente.

- ¿DÓNDE ESTÁ JESÚS?
- ¿POR QUÉ ÉL ESTÁ SOLO EN EL DESIERTO?

2 Lean juntos el texto para ¡averiguarlo!

- JESÚS FUE AL DESIERTO PARA PREPARARSE PARA SU MISIÓN. AYUNÓ Y ORÓ DURANTE CUARENTA DÍAS.

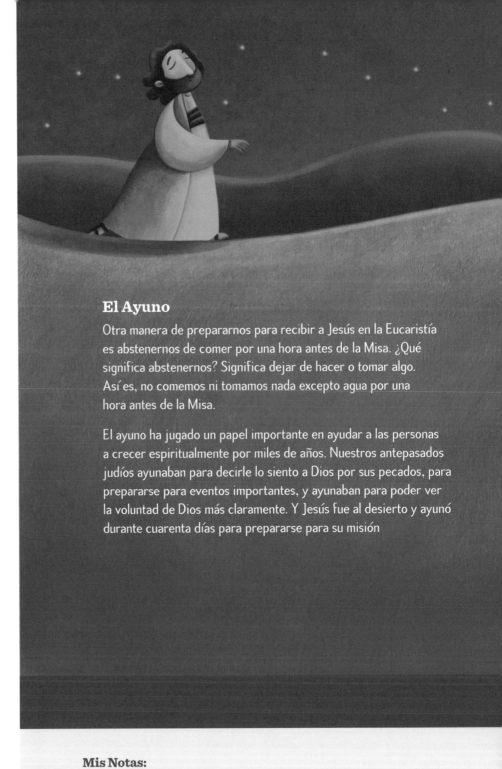

El Ayuno

Otra manera de prepararnos para recibir a Jesús en la Eucaristía es abstenernos de comer por una hora antes de la Misa. ¿Qué significa abstenernos? Significa dejar de hacer o tomar algo. Así es, no comemos ni tomamos nada excepto agua por una hora antes de la Misa.

El ayuno ha jugado un papel importante en ayudar a las personas a crecer espiritualmente por miles de años. Nuestros antepasados judíos ayunaban para decirle lo siento a Dios por sus pecados, para prepararse para eventos importantes, y ayunaban para poder ver la voluntad de Dios más claramente. Y Jesús fue al desierto y ayunó durante cuarenta días para prepararse para su misión

La oración nos ayuda a mantener las cosas en perspectiva.

Punto Decisivo

Mis Notas:

_____

_____

_____

_____

_____

_____

_____

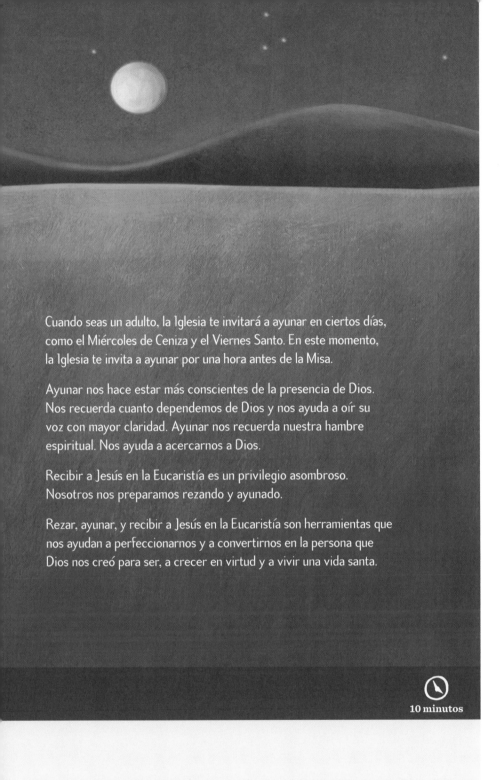

Cuando seas un adulto, la Iglesia te invitará a ayunar en ciertos días, como el Miércoles de Ceniza y el Viernes Santo. En este momento, la Iglesia te invita a ayunar por una hora antes de la Misa.

Ayunar nos hace estar más conscientes de la presencia de Dios. Nos recuerda cuanto dependemos de Dios y nos ayuda a oír su voz con mayor claridad. Ayunar nos recuerda nuestra hambre espiritual. Nos ayuda a acercarnos a Dios.

Recibir a Jesús en la Eucaristía es un privilegio asombroso. Nosotros nos preparamos rezando y ayunado.

Rezar, ayunar, y recibir a Jesús en la Eucaristía son herramientas que nos ayudan a perfeccionarnos y a convertirnos en la persona que Dios nos creó para ser, a crecer en virtud y a vivir una vida santa.

10 minutos

sugerencia

En su carta a los Gálatas, San Pablo escribió: "Y ya no soy yo quien vive, sino es Cristo quien vive en mí" (Gálatas 2, 20). Vivir la fe de una manera auténtica hace que la gente desee estar con usted. ¿Por qué? Porque ya no será usted quien está viviendo y enseñando, sino que será Cristo viviendo y enseñando a través de usted.

Cuando un hombre comienza a ayunar inmediatamente anhela entrar en conversación con Dios.

San Isaac el Sirio

VER Y DISCUTIR

Paso a Paso

1 Presente el Episodio 4 diciendo: "Ben no está seguro si Dios lo ayudará a hacer grandes cosas en la vida. Veamos juntos como Ben y su padre tienen una conversación increíble sobre el poder de la Eucaristía".

2 Vean el Episodio 4.

3 Pregúnteles a los niños: "¿Qué cosa asombrosa creen que Dios hará a través de ustedes?"

Dios te invita a vaciarte para que Él pueda llenarte. Esta es la aventura de la salvación y hacemos este viaje al aprender a amar a Dios, al prójimo, a nosotros mismos y por supuesto, a la vida.

Redescubre el Catolicismo

La Eucaristía Nos Capacita Para Hacer Grandes Cosas

La Eucaristía nos capacita para hacer grandes cosas por Dios. Por dos mil años, los cristianos hemos venido haciendo cosas maravillosas.

Los primeros cristianos cambiaron el mundo al mostrarle a todos cómo se vive en una comunidad llena de amor. Al hacer a un lado el egoísmo y al amarse los unos a los otros, se convirtieron en grandes testigos del amor de Dios y cumplieron la visión de Jesús: "Todos sabrán que ustedes son mis discípulos si se aman los unos a los otros" (Juan 13,35).

La Eucaristía también capacitó a los santos para hacer grandes cosas por Dios. Inspiró y capacitó a San Ignacio de Loyola para crear escuelas y universidades.

Santa Teresa de Calcuta acostumbraba sentarse ante la Eucaristía por una hora cada día para hablar con Jesús. Hacer eso le daba la fortaleza y el valor necesario para cuidar a los más pobres de los pobres.

Jesús en la Eucaristía le dio a San Francisco de Asís la fortaleza para reconstruir la Iglesia y la sabiduría para ayudar a hombres, mujeres, y niños a crecer espiritualmente.

Santa Teresa de Lisieux recibió de la Eucaristía la fuerza para hacer todas las cosas con amor todos los días de su vida, inclusive las pequeñas cosas.

Mis Notas:

_____

_____

_____

_____

_____

_____

_____

La Eucaristía le dio a Santo Tomás de Aquino la habilidad para escribir grandes libros que han ayudado a las personas a descubrir la genialidad de la fe católica.

Dios ha utilizado la Eucaristía para capacitar a las personas a hacer grandes cosas por dos mil años. A mí me emociona mucho poder ver que es lo que la Eucaristía te capacitará a hacer a ti, y como eso se reflejará en tu vida.

12 minutos

sugerencia

Los cristianos en todas partes del mundo se han creído la mentira de que la santidad es posible para otras personas, pero no para ellos. Eso es una mentira. Este momento que usted tiene frente a sus ojos es sumamente crítico en el entendimiento que los niños tengan de Dios y de ellos mismos. Con su cooperación, Dios HARÁ cosas increíbles en sus vidas.

En verdad, les digo, el que cree en mí también hará las obras que hago y, de hecho, hará obras más grandes que estas, porque yo voy al Padre.

Juan 14, 12

VER Y DISCUTIR

Paso a Paso

1 Presente el Episodio 5 diciendo: "¿Ustedes sabían que los discípulos también hicieron su Primera Comunión? Veamos juntos como Ben comparte con nosotros el momento en que los discípulos recibieron su Primera Comunión".

2 Vean el Episodio 5.

3 Pregúnteles a los niños: "¿Cómo creen que sintieron los discípulos durante la Última Cena?"

  • NERVIOSOS, EMOCIONADOS, CONFUNDIDOS, AGRADECIDOS, HUMILDES, HONRADOS, FELICES...

Todas las respuestas están en el sagrario.

Punto Decisivo

De la Biblia: La Visitación

Cuando María estaba embarazada con Jesús, fue a visitar a su prima Isabel, que estaba embarazada con Juan el Bautista. Tan pronto como María llegó a la casa de Isabel, el bebé Juan oyó su voz y saltó de alegría.

Isabel sintió a Juan bailando en su vientre y el Espíritu Santo la ayudó a decir las siguientes palabras que ahora soy muy famosas: "¡Bendita tú eres entre todas las mujeres y bendito es el fruto de tu vientre! ¿Cómo he merecido yo que venga a mí la madre de mi Señor? Apenas llegó tu saludo a mis oídos, el niño saltó de alegría en mi seno" (Lucas 1,39-44).

Mis Notas:

_____

_____

_____

_____

_____

_____

_____

_____

María se quedó con Isabel tres meses antes de regresar a su hogar.

Jesús estaba en el vientre de María, es por eso que el bebé Juan bailó de alegría. El estaba muy emocionado de estar en la presencia de Jesús.

En las iglesias usualmente se puede ver una lucecita roja cerca del Sagrario o Tabernáculo. Esa luz significa que Jesús está en el Sagrario. María fue el primer Sagrario; Jesús estaba dentro de ella.

Después de recibir la Eucaristía, Jesús estará en ti. Eso debe darte mucha alegría.

Con Jesús vivo dentro de nosotros, somos llamados a ir al mundo como sus embajadores y discípulos. Tú puedes responder al llamado siendo bondadoso/a y generoso/a. Tú puedes hacerlo viviendo una vida santa. Tú puedes hacerlo motivando a otras personas.

Dios te está enviando en una misión, y esa misión es llevar su amor al mundo.

🕐 **10 minutos**

Asegúrese que los niños tengan suficiente tiempo para pensar y procesar. Algunos necesitan más tiempo que otros para hacerlo. Si usted le hace una pregunta a uno de ellos y él o ella no están listos para responderla, simplemente diga: "Te daré más tiempo para que lo pienses y más adelante me das tu respuesta". Luego, pregúntele a otro estudiante y al final regrese con quien no pudo responder al inicio.

Y, María dijo: "Sí", en ese momento Él llegó a su corazón. ¿Qué paso después? Ella, que era tan pequeña, se hizo grande al dejarlo vivir y amar en ella.

Santa Teresa de Calcuta

VER Y DISCUTIR

Paso a Paso

1 Introduzca el Episodio 6 diciendo: "En este episodio, Sarah comparte con nosotros algunos de los excelentes consejos que recibió antes y después de recibir su Primera Comunión".

2 Vean el Episodio 6.

Necesitas alimentar tu alma para vivir una vida plena y feliz.

Punto Decisivo

Tú Primera pero No Tú Última

Esta es tu primera pero no tu última Comunión. Cada domingo, durante la Misa tú puedes recibir a Jesús en la Eucaristía. Y si por algún motivo tienes la fortuna de ir durante la semana, tú puedes recibir la Eucaristía más de una vez a la semana. De hecho, muchas personas van a Misa todos los días.

Quiero animarte a recibir la Eucaristía tan frecuentemente como puedas, porque la Eucaristía nos llena del valor y la alegría necesaria para convertirnos en la-mejor-versión-de-nosotros-mismos, crecer en virtud y vivir la vida maravillosa que Dios quiere que vivamos.

Así como necesitamos alimentar el cuerpo para darle la nutrición y la energía que necesita, también necesitamos alimentar nuestra alma. Alimentamos el alma con la oración, leyendo la Biblia y por supuesto con la Eucaristía, el alimento supremo para el alma.

Mis Notas:

_____

_____

_____

_____

_____

_____

_____

_____

La Eucaristía es una gran bendición. Dios te ha bendecido.

Tu estas invitado/a, por el resto de tu vida, al gran banquete de Dios. Él es el anfitrión más generoso que ha vivido jamás. Dios nunca dejará de invitarte a compartir en su gran celebración y nunca se le acabará la comida para alimentar tu alma.

Puede ser que existan momentos en los que te alejes de Dios. Pero Dios nunca dejará de llamarte. Él nunca dejará de buscarte. Dios nunca dejará de animarte a que te conviertas en la-mejor-versión-de-ti-mismo/a, crezcas en virtud y vivas una vida santa.

Dios te ha bendecido.

10 minutos

_____

_____

_____

_____

_____

_____

sugerencia

En este momento, es parte de su misión ayudar a que los niños se sientan bendecidos de poder recibir la Sagrada Comunión por primera vez. Tómese un momento para recordarles lo emocionado/a que usted está, porque ellos van a recibir su Primera Comunión. Si usted trajo una foto de su Primera Comunión (o una de sus hijos o nietos), este es el momento perfecto para compartirla con ellos.

Después tomó pan y, dando gracias, lo partió y se lo dio diciendo: "Esto es mi cuerpo, que es entregado por ustedes. Hagan esto en memoria mía".

Lucas 22, 19

MUESTRA LO QUE SABES

Paso a Paso

1 Pídales a los niños que completen la página de actividades, ya sea ellos solos, con un compañero/a o en grupo.

2 Después de tres minutos pregúntele a la clase: "¿Hay algunas preguntas con las que tengan dificultad?".

3 Brevemente responda las preguntas que ellos tengan y refiéralos a la página correspondiente a la pregunta en el libro de trabajo.

Lo mejor que puedes hacer es convertirte en la mejor versión de ti mismo, porque lo estás haciendo con un propósito.

El Ritmo de la Vida

Muestra lo que Sabes

Verdadero o Falso

1. __V__ El día de tu Primera Comunión es un día muy especial. (p 145)

2. __F__ No estás listo/a para caminar con Dios, y no estás listo/a para recibir a Jesús en la Eucaristía. (p 147)

3. __F__ La oración no nos ayuda a prepararnos para recibir a Jesús en la Eucaristía. (p 149)

4. __F__ El ayuno hace que estemos conscientes de la presencia de Dios. (p 151)

5. __V__ Por el resto de tu vida tendrás una invitación abierta al gran banquete de Dios. (p 157)

Llena los Espacios en Blanco

1. Dios Padre está muy __emocionado__ de saber que pronto recibirás a Jesús en la Eucaristía. (p 144)

2. La Iglesia escoge este momento de tu vida para compartir la __Eucaristía__ contigo porque has llegado a la edad de la razón. (p 147)

3. Nos __preparamos__ para todo lo que es importante. (p 148)

4. Los grandes campeones de nuestra fe son los __santos__. (p 148)

5. La oración es una __conversación__ con Dios. (p 149)

Mis Notas:

_____

_____

_____

_____

_____

_____

_____

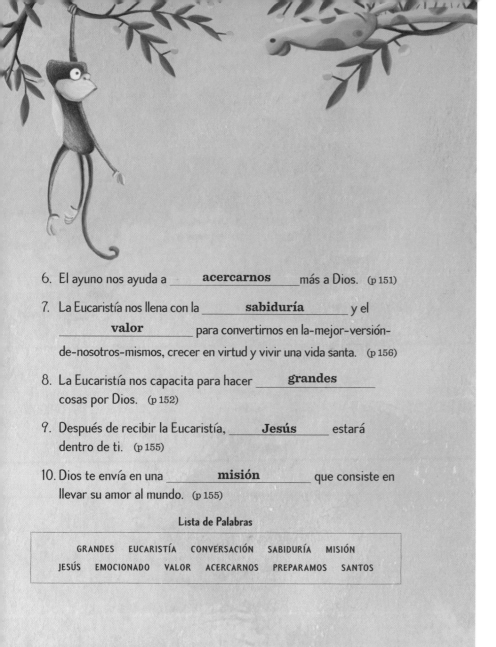

6. El ayuno nos ayuda a ___**acercarnos**___ más a Dios. (p 151)

7. La Eucaristía nos llena con la ___**sabiduría**___ y el ___**valor**___ para convertirnos en la-mejor-versión-de-nosotros-mismos, crecer en virtud y vivir una vida santa. (p 156)

8. La Eucaristía nos capacita para hacer ___**grandes**___ cosas por Dios. (p 152)

9. Después de recibir la Eucaristía, ___**Jesús**___ estará dentro de ti. (p 155)

10. Dios te envía en una ___**misión**___ que consiste en llevar su amor al mundo. (p 155)

Lista de Palabras

GRANDES	EUCARISTÍA	CONVERSACIÓN	SABIDURÍA	MISIÓN
JESÚS	EMOCIONADO	VALOR	ACERCARNOS	PREPARAMOS	SANTOS

10 minutos

sugerencia

Si no queda mucho tiempo, usted puede decidir completar esta sección en grupo. Simplemente lea cada pregunta de llenar los espacios en blanco y de verdadero o falso en voz alta e invite a los estudiantes a responder en voz alta también. Una vez que alguien diga la respuesta correcta, pídales a todos que la escriban en su libro de trabajo. Si no hay suficiente tiempo pídales a los niños que completen el ejercicio como tarea.

Elige la vida, para que tú y tus hijos puedan vivir y amar al Señor tu Dios, escucha su voz y aferrarte a Él.

Deuteronomio 30, 19–20

DIARIO CON JESÚS

Paso a Paso

1 Invite a los niños a escribirle una carta a Jesús.

2 Pídales que permanezcan en silencio mientras escriben en su diario.

3 Si usted lo desea puede poner música tranquila de fondo, para ayudar a crear un ambiente propicio a la reflexión y motivar a los estudiantes a permanecer en silencio y enfocados en el diario con Jesús.

Permite que Dios te inspire, que te llene de su poder, porque Él quiere enviarte a que inspires a otros.

Vuelve a Descubrir a Jesús

Mis Notas:

_____
_____
_____
_____
_____
_____
_____
_____

Diario con Jesús

Querido Jesús,

Yo espero que recibirte en la Eucaristía me inspire a . . .

_____

_____

_____

_____

_____

_____

_____

_____

10 minutos

_____

_____

_____

_____

_____

sugerencia

Compartir en pareja es una gran herramienta. Si el tiempo lo permite, divida a todos en parejas. Luego deles el tiempo necesario para que compartan con su pareja lo que le escribieron a Jesús. Diga: "Les daré tres minutos para que compartan entre ustedes lo que esperan que la Eucaristía les inspire a hacer".

No hay nada más grandioso que la Eucaristía. Si Dios tuviera algo más precioso, Él nos lo hubiera dado.

San Juan Vianney

161

ORACIÓN FINAL

Paso a Paso

1 Prepare a los niños para rezar con Ben. Espere a que se calmen y hagan silencio.

2 Vean el Episodio 7.

3 Pregúnteles a los niños: "¿Cuáles son algunas de las cosas más importantes que aprendieron en esta sesión?"

- ESTOY LISTO PARA DECIR "SÍ" A DIOS Y RECIBIR MI PRIMERA COMUNIÓN.

- LA EUCARISTÍA ME CAPACITA PARA HACER GRANDES COSAS PARA DIOS.

- ESTA ES MI PRIMERA PERO NO MI ÚLTIMA COMUNIÓN.

- ¡MI PRIMERA COMUNIÓN ES UN DÍA REALMENTE ESPECIAL!

- ME PUEDO PREPARAR PARA LA MISA A TRAVÉS DE LA ORACIÓN Y EL AYUNO.

Oración Final

A lo largo de los Evangelios escuchamos como Jesús realizó milagros increíbles. El hizo caminar al paralítico, ver al ciego, y hasta resucitó a Lázaro de entre los muertos.

Jesús tiene el poder de transformar a todos los que entran en contacto con Él. A veces esa transformación se realiza en un momento, pero la mayoría de las veces se realiza lentamente durante nuestra vida.

Si permaneces cerca de Jesús en la Eucaristía, el poder de Dios también hará cosas increíbles en tu vida. La Eucaristía abrirá los ojos de tu alma y la curará del egoísmo y la ceguera, para que puedas amar generosamente.

Ahora recemos juntos:

> Mi Señor y mi Dios,
> Creo firmemente que estás presente en la Eucaristía.
> Quítame la ceguera de los ojos,
> para que pueda ver a todas las personas y todas las cosas como Tú las ves.
> Quítame la sordera de los oídos, para que pueda oír Tu verdad y seguirla.
> Quítame la dureza del corazón, para que pueda vivir y amar generosamente.
> Dame la gracia de recibir la Eucaristía con humildad, para que puedas transformarme un poco más cada día en la persona que Tú me creaste para ser.
>
> Amen.

Mis Notas:

_____
_____
_____
_____
_____
_____
_____

8 minutos

Después de decir esto, gritó con voz fuerte: "¡Lázaro, ven afuera!". El muerto salió con los pies y las manos atados con vendas, y el rostro envuelto en un sudario. Jesús les dijo: "Desátenlo para que pueda caminar".

Juan 11, 43–44.

163

6

La Familia de Dios

Guía rápida de la sesión

OBJETIVOS

- **PROCLAMAR** que todos fuimos creados para la misión.

- **EXPLICAR** que la parroquia es nuestra familia espiritual.

- **ENSEÑAR** que Dios nos creó a cada uno de nosotros con un propósito.

• Una bendición para toda la vida.
• El alimento supremo para el alma.

BIENVENIDA

En el capítulo veintinueve del Libro de los Proverbios, aparecen las siguientes palabras: "Donde no hay visión, la gente perecerá". Esto es cierto en todas las áreas de la vida. En un país donde no hay visión, la gente perecerá. En un matrimonio donde no hay visión, la gente perecerá. En un negocio, una escuela o una familia donde no hay visión, la gente perecerá.

Lo mismo es cierto para los niños de su clase. La Primera Comunión no es algo de un solo día. Es algo para el resto de sus vidas. Se trata de una invitación de por vida al gran banquete de Dios. Y se trata de ver la Eucaristía como una bendición para toda la vida.

En esta última sesión de la experiencia de preparación, su principal tarea es proyectar una visión para el futuro. Dios tiene un sueño increíble para cada niño y niña de su clase. La Eucaristía es esencial para poder descubrir ese sueño y tener el coraje de vivirlo.

Icono Oración

Leer y Explorar

Ver y Discutir

Muestra lo que Sabes

Diario con Jesús

Medidor de Tiempo

ORACIÓN DE APERTURA

Paso a Paso

1 Tómese un momento para que los niños se calmen y hagan silencio.

2 Invite a los niños a prepararse para la oración: cerrando los ojos y haciendo una respiración profunda.

3 Espere a que nos los niños hagan silencio. No los apresure, la reverencia requiere paciencia y práctica. Cuando ellos estén listos inicie con la Señal de la Cruz.

Desarrollar una vida de oración dinámica requiere perseverancia más que cualquier otra cosa. Continúa rezando.

Punto Decisivo

Mis Notas:

_____

_____

_____

_____

_____

_____

_____

_____

6

La Familia de Dios

Dios nuestro, Padre amoroso,
gracias por todas las formas en que me bendices.
Ayúdame a estar consciente de que cada persona,
cada lugar, y cada aventura que experimento
es una oportunidad para amarte más.
Lléname con el deseo de cambiar y crecer,
y dame la sabiduría para escoger ser
la-mejor-versión-de-mí-mismo/a en
cada momento de cada día.

Amén.

4 minutos

sugerencia

Dígales a los niños lo emocionado/a que está de volverlos a ver. Anímelos diciendo: "¡Hagamos que esta sea la mejor de nuestras clases!". Comparta con ellos que usted estará rezando por cada uno de ellos el día de su Primera Comunión. Comparta su esperanza de que ese sea un día especial, el cual usted espera que ellos siempre lo recuerden y lo valoren.

Esta es la confianza que tenemos al acercarnos a Dios: si le pedimos algo de acuerdo a su voluntad, él nos escuchará.

1 Juan 5, 14

165

VER Y DISCUTIR

Paso a Paso

1 Introduzca el Episodio 1 diciendo: "Sarah tiene un mensaje especial para cada uno de nosotros, ¡descubramos qué es!".

2 Vean el Episodio 1.

3 Reitere lo que Sarah dijo en el episodio. Dígales a los niños: "¡Todos ustedes fueron creados para la misión! Y ¡yo no puedo esperar para ver cuál es plan especial que tiene Dios para ustedes!".

Cuando el estilo de vida católico se presenta y se abraza de una manera auténtica, este promueve la integración de cada aspecto de nuestra vida cotidiana y de cada aspecto de la persona humana.

Redescubre el Catolicismo

Creados para la Misión

Ahora que has descubierto el poder sanador del perdón de Dios, y el poder transformador de la Eucaristía, es un buen momento para pensar y preguntarte por qué Dios te ha bendecido de tantas maneras.

Dios te ha bendecido porque te ama. Te ha bendecido porque quiere que vivas una vida maravillosa aquí en la Tierra y que vivas con Él en el Cielo, para siempre. Y Dios te ha bendecido porque Él te creó para la misión.

Dios le da una misión a cada persona. Puede tomar tiempo averiguar qué es exactamente la misión que Dios te está llamando a realizar. Lo bueno es que tú ya has aprendido cuál es la parte más importante de tu misión: llevar el amor de Dios a todas las personas que encuentres en tu camino.

Tú fuiste creado/a para la misión. Dios no te hizo solo para que te divirtieras. Dios no te creó para que desperdicies tu tiempo en cosas superficiales. Dios te creó para la misión.

Mis Notas:

_____

_____

_____

_____

_____

_____

_____

5 minutos

sugerencia

Refuerce la capacidad de escuchar en los niños. Es algo necesario para la vida, aunque no todos sean naturalmente buenos para escuchar. Recuérdeles a sus alumnos que es importante que pongan atención cuando usted les da indicaciones: "Muy bien, es hora de que todos hagamos silencio y nos calmemos. Respiren profundamente, mírenme a los ojos y ¡pongan atención!".

Entonces Jesús le dijo a Simón: "No temas; de ahora en adelante serás pescador de hombres". Ellos atracaron las barcas a la orilla y, abandonándolo todo, lo siguieron.

Lucas 5, 10–11

167

VER Y DISCUTIR

Paso a Paso

1 Introduzca el Episodio 2 diciendo: "Sarah despierta a Ben y a Hemingway de una siesta para: ¡comenzar una gran aventura!".

2 Vean el Episodio 2.

3 Pregúnteles: "¿Cuáles son algunas de las razones por las cuales es grandioso ser católico? ¿Pueden mencionar alguna?"

- NUESTRA FAMILIA PARROQUIAL SE PREOCUPA POR NOSOTROS.

- HAY UNA IGLESIA EN CASI TODOS LOS LUGARES DEL MUNDO.

- LA IGLESIA CATÓLICA ES LA MAYOR FUERZA DEL BIEN EN EL MUNDO.

- LA IGLESIA ALIMENTA A LOS HAMBRIENTOS, DA COBIJO A LOS DESAMPARADOS, VISTE A LOS QUE ESTÁN DESNUDOS Y SE PREOCUPA POR LOS ENFERMOS.

Tu Familia Parroquial

¿Sabías que perteneces a la familia más famosa del mundo? Sí, es cierto. Dios te ha bendecido al ser parte de la Iglesia Católica. Y la Iglesia Católica es la familia más famosa del mundo.

En casi todos los lugares del mundo puedes encontrar una Iglesia Católica. Tú experimentas la Iglesia a través de tu parroquia local. Tu parroquia está compuesta de hombres, mujeres, niños y niñas como tú, que están tratado de convertirse en la-mejor-v-de-sí-mismos y de vivir una vida santa.

Cuando eras un/una bebé, tu familia te cuidó. Te alimentó, te bañó, y se aseguró de que tuvieras todo lo que necesitabas para crecer

Mis Notas:

_____

_____

_____

_____

_____

_____

_____

saludable y fuerte. Tu parroquia alimenta tu alma. Tu parroquia se asegura de que tengas lo que necesitas para crecer espiritualmente. Tu parroquia te ayuda a prepararte para tu Primera Reconciliación y tu Primera Comunión, para que así estés listo/a para la gran misión que Dios soñó para ti.

A lo largo de tu vida experimentarás momentos de mucha alegría, y momentos de decepción, fracaso, y tristeza. Todas estas experiencias son parte de la vida. Todos los experimentamos. Pero nuestra familia espiritual, nuestra parroquia, está ahí durante todos esos momentos para consolarnos y cuidarnos.

10 minutos

sugerencia

Tómese un momento para compartir con los niños la razón número uno por la cual usted se siente bendecido/a de ser católico/a. Aquí hay otras razones—además de las ya mencionadas en la página anterior:

- ES LA IGLESIA QUE CRISTO COMENZÓ Y A LA QUE ENVIÓ EL ESPÍRITU SANTO COMO GUÍA.
- JESÚS ESTÁ REALMENTE PRESENTE EN LA EUCARISTÍA.
- LA MISA ES IGUAL EN TODO EL MUNDO.

La nación no solo necesita lo que tenemos. Necesita lo que somos.

Santa Teresa Benedicta de la Cruz

LEER Y EXPLORAR

Paso a Paso

1 Actividad: ¡ESTIRAMIENTO! Pídales a los niños que se pongan de pie y sigan sus instrucciones para energizarse rápidamente. Traten de tocar el techo, luego el piso. Estírense hacia a la derecha, luego a la izquierda. Si es posible, acompañe la actividad con un poco de música. Si tiene el CD de *Dios Te ha Bendecido: una colección de canciones para los jóvenes de corazón,* ponga la canción "Brillará".

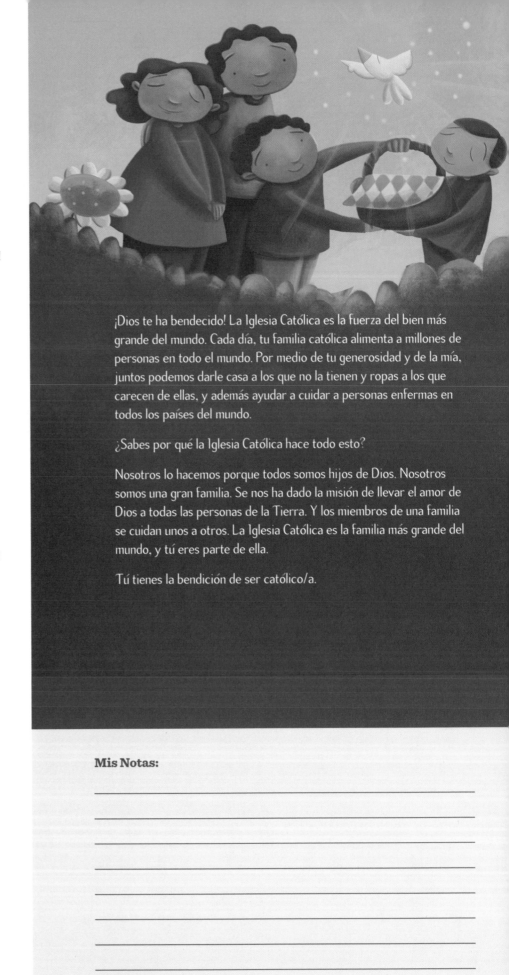

¡Dios te ha bendecido! La Iglesia Católica es la fuerza del bien más grande del mundo. Cada día, tu familia católica alimenta a millones de personas en todo el mundo. Por medio de tu generosidad y de la mía, juntos podemos darle casa a los que no la tienen y ropas a los que carecen de ellas, y además ayudar a cuidar a personas enfermas en todos los países del mundo.

¿Sabes por qué la Iglesia Católica hace todo esto?

Nosotros lo hacemos porque todos somos hijos de Dios. Nosotros somos una gran familia. Se nos ha dado la misión de llevar el amor de Dios a todas las personas de la Tierra. Y los miembros de una familia se cuidan unos a otros. La Iglesia Católica es la familia más grande del mundo, y tú eres parte de ella.

Tú tienes la bendición de ser católico/a.

El Evangelio nos libera del egoísmo al inspirarnos a ser generosos. Decida ahora mismo, aquí y ahora, vivir una vida asombrosamente generosa.

Vuelve a Descubrir a Jesús

Mis Notas:

_____

_____

_____

_____

_____

_____

_____

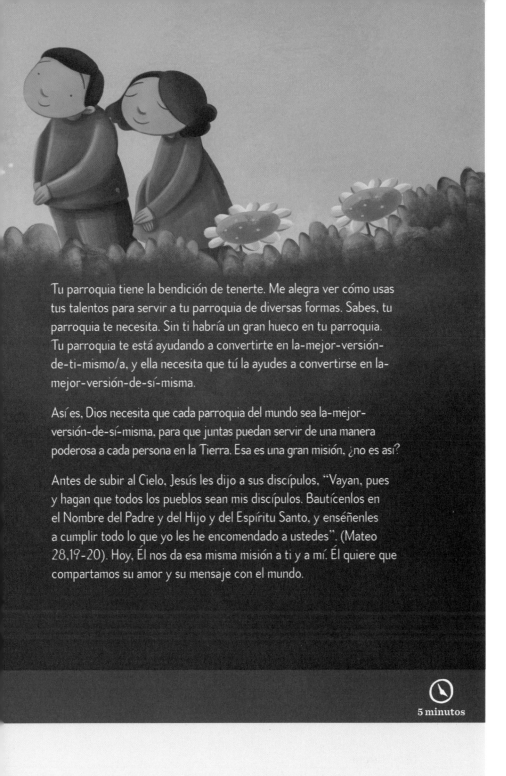

Tu parroquia tiene la bendición de tenerte. Me alegra ver cómo usas tus talentos para servir a tu parroquia de diversas formas. Sabes, tu parroquia te necesita. Sin ti habría un gran hueco en tu parroquia. Tu parroquia te está ayudando a convertirte en la-mejor-versión-de-ti-mismo/a, y ella necesita que tú la ayudes a convertirse en la-mejor-versión-de-sí-misma.

Así es, Dios necesita que cada parroquia del mundo sea la-mejor-versión-de-sí-misma, para que juntas puedan servir de una manera poderosa a cada persona en la Tierra. Esa es una gran misión, ¿no es así?

Antes de subir al Cielo, Jesús les dijo a sus discípulos, "Vayan, pues y hagan que todos los pueblos sean mis discípulos. Bautícenlos en el Nombre del Padre y del Hijo y del Espíritu Santo, y enséñenles a cumplir todo lo que yo les he encomendado a ustedes". (Mateo 28,19-20). Hoy, Él nos da esa misma misión a ti y a mí. Él quiere que compartamos su amor y su mensaje con el mundo.

5 minutos

sugerencia

G. K. Chesterton escribió: "Todos los hombres pueden ser criminales, si se les tienta. Todos los hombres pueden ser héroes, si se les inspira". Esta es la última sesión en la que usted estará con estos niños. Puede sonar cursi pero ¡hágala memorable! En serio, dígales a los niños que está emocionado/a de ver cómo Dios los inspirará a convertirse en la persona que Él los creó para ser. Recuérdeles que si alguna vez necesitan aliento o inspiración ellos siempre pueden contar con: las Escrituras, la Misa y la oración diaria.

La Iglesia es la posada del viajero donde los heridos se curan.

San Agustín de Hipona

VER Y DISCUTIR

Paso a Paso

1 Presente el Episodio 3 diciendo: "Todos tenemos talentos especiales, pero la Hermana Rosa nos dirá cuál es el talento más grande que tenemos como seres humanos".

2 Vean el Episodio 3.

La visión de Dios del amor es hermosa, desinteresada y radical.

Punto Decisivo

Haz la diferencia

Había una vez, un niño que vivía junto al mar. Todas las tardes caminaba por la playa. Un día, él notó que cuando la marea bajaba, dejaba cientos de estrellas de mar varadas en la arena. Él se dio cuenta de que las estrellas de mar morirían si se dejaban allí, así que empezó a recogerlas y a devolverlas al mar.

Cuando el niño llegó al otro extremo de la playa, un anciano venía caminando en dirección opuesta. Al ver lo que el niño estaba haciendo, le dijo: "¿Muchacho, qué estás haciendo? Lo que estás haciendo no tiene sentido. ¿Por qué no simplemente disfrutas tu caminata?".

El niño lo ignoró y siguió recogiendo las estrellas de mar y lanzándolas de vuelta al agua. Pero el anciano se acercó más, y le dijo al niño, "Muchacho, estás perdiendo tu tiempo. Hay cientos de ellas, quizás miles. Y habrá más mañana. Lo que estás haciendo no tiene sentido y no cambiará nada".

El niño sonrió, y agachándose en la arena recogió una estrella más y la tiró al agua tan lejos como pudo. Entonces se volvió al anciano y le dijo, "¡Sí tiene sentido para esa! Y al tirarla al mar yo he hecho la diferencia para ella y todas las demás".

Mis Notas:

_____

_____

_____

_____

_____

_____

_____

8 minutos

Mi única ambición es servir a Dios y amar al prójimo de buena manera. Debemos manifestar nuestra alegría en el servicio que le prestamos a Él y a ellos.

San Andrés Bessette

173

LEER Y EXPLORAR

Paso a Paso

1 Lea el texto en voz alta.

2 Pídales a los niños que compartan algunas ideas sobre cómo pueden hacer la diferencia en las vidas de quienes los rodean.

- ESCUCHANDO A SUS PADRES
- HACIENDO SUS DEBERES
- SIENDO AMABLES CON SUS COMPAÑEROS DE CLASE

Las personas comunes, como tú y como yo, podemos dar respuesta a la mayoría de las oraciones.

Resistiéndote a la Felicidad

Puedes ser un gran futbolista o una cantante fabulosa, pero tu mayor talento es tu habilidad para hacer la diferencia en la vida de otras personas. Te asombrará cuánta alegría puedes llevarles a otras personas usando este talento.

Como discípulos de Jesús, siempre debemos buscar la manera de hacer la diferencia en la vida de otras personas. Esta es una de las formas de vivir la misión que Dios nos ha dado de llevar su amor al mundo.

Al igual que el anciano de la historia, habrá personas que traten de desalentarte. Pero el Espíritu Santo estará animándote constantemente, diciendo, "¡Puedes hacerlo!" "¡Tú eres asombroso/a!" "¡Puedes hacer la diferencia!" "¡Tú tienes lo que se necesita!".

Mis Notas:

_____

_____

_____

_____

_____

_____

_____

Habrá momentos en los que no puedas hacerlo todo. Por ejemplo, hay millones de personas hambrientas en el mundo. No puedes darles de comer a todas, pero puedes ayudar a alimentar a una. No dejes que lo que no puedes hacer interfiera con lo que puedes hacer. Haz tu poquito. Si todos hacen su poquito, cambiaremos el mundo.

Jesús se ha entregado a ti en la Eucaristía. Ahora Jesús está enviándote al mundo en una misión. Hay un canto que a veces cantamos en la iglesia el cual resume perfectamente esta misión. Se llama "Ve Haz la Diferencia". Aquí tienes parte de la letra:

Ve haz la diferencia; podemos hacer la diferencia
Ve haz la diferencia en el mundo.
Ve haz la diferencia; tú puedes hacer la diferencia
Ve haz la diferencia en el mundo.

7 minutos

sugerencia

Para fomentar la participación, haga una dinámica. Divida al grupo en equipos, pídales a los niños que respondan la pregunta como grupo y dígales: "vamos a ver qué grupo puede generar la mayor cantidad de respuestas posibles".

Vayan, pues, y hagan que todos los pueblos sean mis discípulos. Bautícenlos en el Nombre del Padre y del Hijo y del Espíritu Santo, y enséñenles a cumplir todo lo que yo les he encomendado a ustedes. Yo estoy con ustedes todos los días hasta el fin de la historia.

Mateo 28, 19–20

Paso a Paso

1 Introduzca el Episodio 4 diciendo: "La Hermana Rosa comparte con Ben, Sarah, Hemingway y sus amigos una de las cosas más poderosas que nosotros podemos hacer en la vida".

2 Vean el Episodio 4.

Sin oración la vida no tiene sentido.

Punto Decisivo

El Poder de la Oración

Otra manera poderosa que nos permite hacer la diferencia es rezar por otras personas. La oración es poderosa. La oración hace la diferencia.

Quizás escuches que un tornado al otro lado del mundo ha destruido casas y campos, y ahora las personas padecen hambre y dolor. Tú no puedes ir allá y ayudarlas, y puede que no tengas dinero para enviarles; pero siempre puedes rezar por ellas.

Cada día nuestra oración debe ser una gran aventura que nos lleve alrededor del mundo. La aventura de la oración puede empezar en tu propia casa, rezando por tu familia; tu puedes rezar por tus abuelos en California, o Nueva York, o Florida; por un amigo que se mudó a otra ciudad; por el Papa, en Roma, por los niños que padecen hambre en África, y por las personas que fueron lastimadas en un terremoto en China. La oración es una oportunidad para viajar alrededor del mudo.

La oración no se limita a este mundo. También rezamos por las almas en el purgatorio. Imagínate que estas en el purgatorio y que no hay nadie que rece por ti. Eso sería muy triste, así que debemos tomar un momento todos los días para rezar por las almas en el purgatorio.

La oración es una manera poderosa para hacer la diferencia. Nosotros podemos y debemos rezar por nosotros mismos, dándole gracias a Dios por todas las formas en que nos bendice y pidiéndole que nos ayude a cumplir nuestra misión. Nosotros también podemos y debemos rezar por los demás.

Dios te ha bendecido, y tú puedes bendecir a otras personas rezando por ellas.

Mis Notas:

_____

_____

_____

_____

_____

_____

_____

7 minutos

sugerencia

Usted tiene ante sus ojos a una audiencia deseosa, así que ¿por qué no fomentar una vida de oración diaria? Este es un excelente momento para reforzar el poder de la oración diaria. Los niños tienen la edad perfecta para crear este hábito saludable. Entable con ellos una discusión sobre cuál es el mejor lugar para que ellos oren en sus casas. Deles algunas ideas: sus dormitorios o sus sillas favoritas. Haga que cierren los ojos y que visualicen su lugar especial para rezar. Si el tiempo lo permite, invite a los niños a compartir dónde planean orar.

De madrugada, cuando todavía estaba muy oscuro, Jesús se levantó, salió y se fue a un lugar solitario. Allí se puso a orar.

Marcos 1, 35

VER Y DISCUTIR

Paso a Paso

1 Presente el Episodio 5 diciendo: "La Hermana Rosa y los niños discuten cómo se deben de haber sentido los discípulos durante la crucifixión, la muerte y la resurrección de Jesús".

2 Vean el Episodio 5.

3 Dígale a los niños: "Escuchen las palabras de Jesús en el último versículo del libro de San Mateo: 'Y recuerden, yo siempre estaré con ustedes, hasta el fin de los tiempos.' ¿Cómo se sienten al saber que Jesús siempre está con ustedes?".

- AGRADECIDOS
- FELICES
- AMADOS

Solo podemos amar porque Dios nos ha amado primero, y Él nos ama increíblemente.

Punto Decisivo

De la Biblia: Yo Siempre Estaré con Ustedes

El Viernes Santo, cuando Jesús estaba clavado en la cruz, los discípulos estaban tristes y confundidos. Ellos habían puesto todas sus esperanzas en Jesús, y ahora Él estaba muerto.

Los discípulos amaban a Jesús. Él había sido su maestro y su amigo. Ellos tenían la esperanza que Él, era el enviado de Dios que venía a salvarlos, justo como lo habían leído en las Escrituras. Pero ahora se había ido y se sentían abandonados y solos.

Imagina cuán larga fue la noche del viernes para ellos. Probablemente no pudieron dormir, pensando en todo lo que había pasado, y preguntándose qué pasaría después. Ellos probablemente tenían miedo de que las personas que mataron a Jesús tratarían de matarlos a ellos también.

Yo me pregunto qué hicieron el sábado. Me pregunto qué era lo que estaban pensando y de que hablaron entre ellos. Ese viernes y ese sábado fueron los peores días de su vida.

Mis Notas:

_____
_____
_____
_____
_____
_____
_____

Pero el domingo por la mañana todo cambió. Jesús resucitó de entre los muertos. Él les había dicho que lo haría, pero quizás no entendieron, o se olvidaron, o tal vez ¡no lo creyeron!

Imagínate lo asombrados que estaban los Discípulos cuando Jesús resucitó de los muertos y luego Él se les apareció.

Durante los cuarenta días siguientes, Jesús se les apareció a muchas personas, para alentarlas en su misión y recordarles su gran amor.

Cuando llegó el momento de que Jesús ascendiera al Cielo, Él compartió un mensaje muy importante para todos nosotros. Él les dijo a los discípulos, "Ahora me voy para estar con mi Padre en el Cielo, pero dondequiera que estén en este mundo, yo siempre estaré con ustedes a su lado"

Adaptado de Mateo 28,20

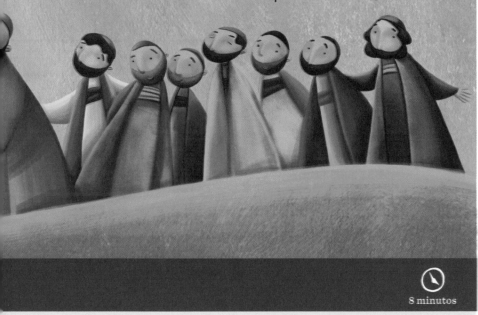

8 minutos

sugerencia

¿Tiene una estampa de su imagen favorita de Jesús? Si es así, compártala con los niños. Explíqueles por qué esa es su imagen favorita. Desafíelos a buscar su propia imagen favorita de Jesús. El arte sagrado siempre ha inspirado al corazón humano.

Recuerda que nunca estás solo. ¡Cristo está caminando contigo todos los días de tu vida!

San Juan Pablo II

LEER Y EXPLORAR

Paso a Paso

1 Lea el texto en voz alta. Haga su mejor esfuerzo para hablar despacio y con gran entusiasmo.

2 Algunas cosas valen la pena ser repetidas. Vuelva a leer lo siguiente: *"Jesús quiere que recuerdes que Él siempre está ahí para ayudarte".*

La esperanza es una cosa buena, tal vez la mejor de las cosas. La esperanza es una de esas cosas que no puedes comprar, pero que se te dará si la pides. La esperanza es la única cosa que la gente necesita para vivir. La esperanza es una cosa bella.

Punto Decisivo

180

Jesús ha mantenido su promesa por dos mil años. Él está contigo desde que te despiertas por la mañana y te levantas de la cama. Él va contigo a la escuela. Él está allí durante tus clases y en el recreo. Él te anima durante los partidos de fútbol y en el béisbol. Y en la noche, te arropa en la cama y te besa en la frente.

Jesús te ama y quiere estar contigo.

Él también está siempre con nosotros en la Eucaristía. Cada vez que visites una iglesia y veas esa lucecita roja encendida al lado del Sagrario, recuerda que Jesús está ahí contigo de una manera muy especial.

La vida es difícil, y con frecuencia tenemos que tomar decisiones importantes. Cuando yo tengo que tomar una decisión, me gusta ir a la Iglesia y sentarme a hablar con Jesús en el Sagrario. Yo le platico sobre la decisión que necesito tomar, y le pido que me aconseje. Luego, me quedo en silencio y dejo que Él le hable a mi corazón.

Jesús quiere que recuerdes que Él siempre está ahí para ti. Sea cual sea el reto que llegue a tu vida, tú nunca estarás solo/a, Jesús está a tu lado. Él es tu amigo y tu maestro.

¡Dios te ha bendecido!

Mis Notas:

_____

_____

_____

_____

_____

_____

_____

5 minutos

Ora con confianza. Con la confianza basada en la bondad, en la infinita generosidad de Dios y en las promesas de Jesucristo.

San Luis de Montfort

181

VER Y DISCUTIR

Paso a Paso

1 Presente el Episodio 6 diciendo: "Ben, Sarah y sus amigos tienen un último mensaje para nosotros. ¡Veámoslo juntos!".

2 Vean el Episodio 6.

Una vez que conoces el propósito de la vida, todo encaja.

Semillas de Mostaza

Confiando en Dios

Nuestro Dios es un Dios de propósito, El hace cosas a propósito. Y él te creó para un propósito.

A medida que avanzas en la vida, busca el propósito en las cosas. Comer es divertido y agradable, pero el propósito de la comida es alimentar el cuerpo. Ir a la escuela y ver a tus amigos es fantástico, pero el propósito de la escuela es aprender cosas nuevas. Ganar al fútbol te llena de alegría, pero el propósito de los deportes es ayudarnos a crecer fuertes y a estar saludables.

Al darnos cuenta que Dios tiene un propósito para todo, aprendemos a confiar en Él y en los hermosos planes que tiene para nuestra vida. Fíjate en el propósito de las cosas. Si alguna vez está confundido, pregúntale a Dios, "¿Cuál es el propósito de. . .?"

Mis Notas:

_____

_____

_____

_____

_____

_____

_____

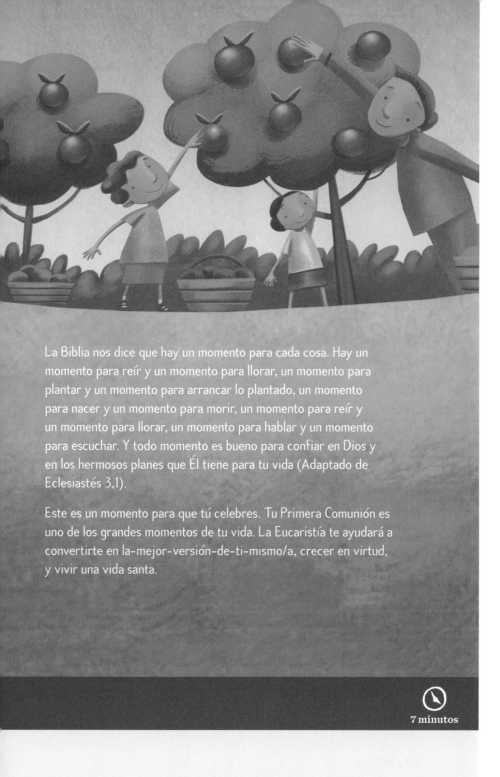

sugerencia

Use su voz como un instrumento. Varíe el volumen, la velocidad y la emoción.

La Biblia nos dice que hay un momento para cada cosa. Hay un momento para reír y un momento para llorar, un momento para plantar y un momento para arrancar lo plantado, un momento para nacer y un momento para morir, un momento para reír y un momento para llorar, un momento para hablar y un momento para escuchar. Y todo momento es bueno para confiar en Dios y en los hermosos planes que Él tiene para tu vida (Adaptado de Eclesiastés 3,1).

Este es un momento para que tú celebres. Tu Primera Comunión es uno de los grandes momentos de tu vida. La Eucaristía te ayudará a convertirte en la-mejor-versión-de-ti-mismo/a, crecer en virtud, y vivir una vida santa.

 **7 minutos**

Puedes hacer muchos planes, pero el propósito del Señor prevalecerá.

Proverbios 19, 21

LEER Y EXPLORAR

Paso a Paso

1 Lea el texto en voz alta.

2 Compártales a los niños lo agradecido/a que se siente por el tiempo que pasaron juntos.

3 Practiquen juntos la oración: "Jesús, yo confío en ti".

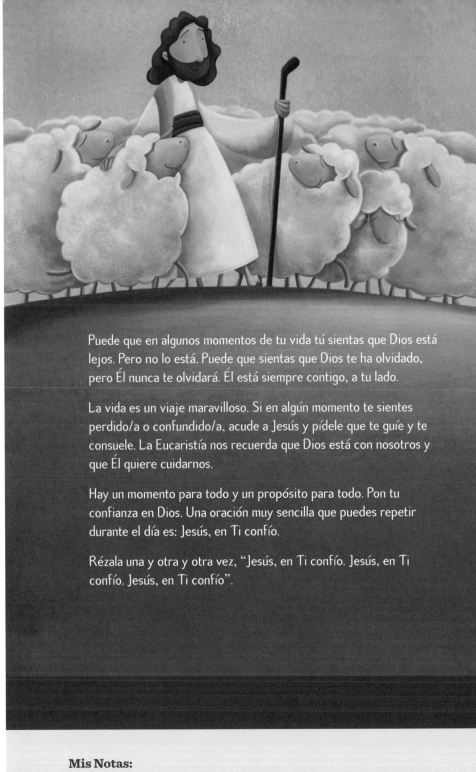

Puede que en algunos momentos de tu vida tú sientas que Dios está lejos. Pero no lo está. Puede que sientas que Dios te ha olvidado, pero Él nunca te olvidará. Él está siempre contigo, a tu lado.

La vida es un viaje maravilloso. Si en algún momento te sientes perdido/a o confundido/a, acude a Jesús y pídele que te guíe y te consuele. La Eucaristía nos recuerda que Dios está con nosotros y que Él quiere cuidarnos.

Hay un momento para todo y un propósito para todo. Pon tu confianza en Dios. Una oración muy sencilla que puedes repetir durante el día es: Jesús, en Ti confío.

Rézala una y otra y otra vez, "Jesús, en Ti confío. Jesús, en Ti confío. Jesús, en Ti confío".

Mis Notas:

_____

_____

_____

_____

_____

_____

_____

_____

Señor, yo confío en tus planes. ¡Por favor muéstramelos!

Semillas de Mostaza

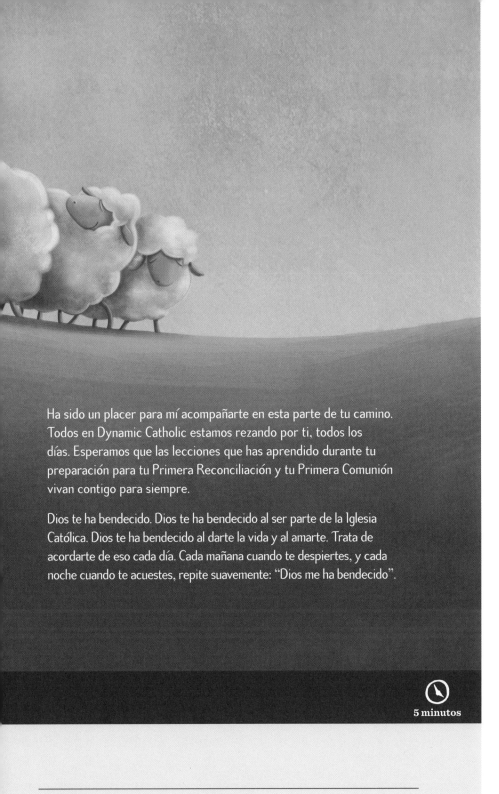

Ha sido un placer para mí acompañarte en esta parte de tu camino. Todos en Dynamic Catholic estamos rezando por ti, todos los días. Esperamos que las lecciones que has aprendido durante tu preparación para tu Primera Reconciliación y tu Primera Comunión vivan contigo para siempre.

Dios te ha bendecido. Dios te ha bendecido al ser parte de la Iglesia Católica. Dios te ha bendecido al darte la vida y al amarte. Trata de acordarte de eso cada día. Cada mañana cuando te despiertes, y cada noche cuando te acuestes, repite suavemente: "Dios me ha bendecido".

5 minutos

sugerencia

Haga un plan para continuar orando por los niños de su clase. Hágales saber que aunque su tiempo juntos ha terminado, usted continuará orando por ellos y por su caminar por la vida. Termine diciéndoles lo orgulloso/a que usted está de ellos —sus estudiantes—y de lo bien que se han preparado para su Primera Comunión. La afirmación pública es poderosa.

Los que conocen tu nombre confían en ti, porque tú, Señor, nunca has abandonado a los que te buscan

Salmo 9, 10

MUESTRA LO QUE SABES

Paso a Paso

1 Pídales a los niños que completen la página de actividades, ya sea ellos solos, con un compañero/a o en grupo.

2 Después de tres minutos pregúntele a la clase: "¿Hay algunas preguntas con las que tengan dificultad?".

3 Brevemente responda las preguntas que ellos tengan y refiéralos a la página correspondiente a la pregunta en el libro de trabajo.

Nuestra cultura está hambrienta de vidas auténticas. Deja que tu vida hable.

Redescubre el Catolicismo

Muestra lo que Sabes

Verdadero o Falso

1. __V__ Dios te ha bendecido porque te ama. (p 166)

2. __F__ Tu parroquia no te necesita para llevar el amor de Dios a los demás. (p 171)

3. __V__ La oración es una manera poderosa para hacer la diferencia. (p 17

4. __F__ Jesús nos pide que enfrentemos el camino de la vida solos. (p 184)

5. __V__ Dios te ha bendecido. (p 185)

Llena los Espacios en Blanco

1. Dios te creó para la _____**misión**_____. (p 166)

2. La Iglesia Católica es la fuerza más grande para hacer el _____**bien**_____ en el mundo. (p 170)

3. Nuestra misión es llevar el _____**amor**_____ de Dios a todas las personas en la Tierra. (p 174)

4. Tu _____**parroquia**_____ es tu familia espiritual. (p 169)

5. Tu mayor talento es tu habilidad para hacer la _____**difference**_____ en la vida de otras personas. (p 174)

6. Dios tiene un _____**propósito**_____ para todo. (p 182)

Mis Notas:

_____

_____

_____

_____

_____

_____

_____

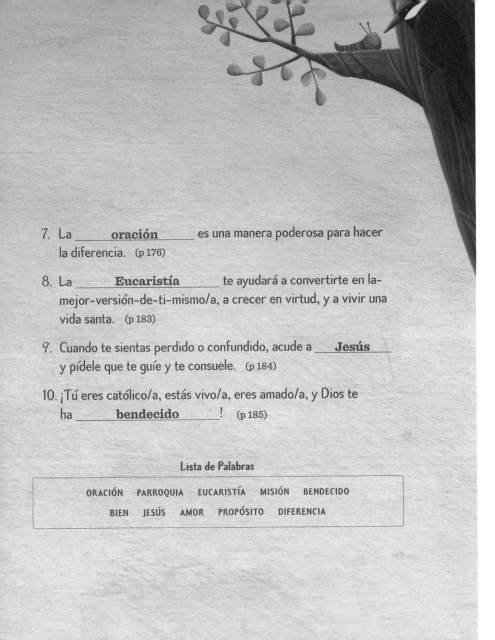

7. La _____oración_____ es una manera poderosa para hacer la diferencia. (p 176)

8. La _____Eucaristía_____ te ayudará a convertirte en la-mejor-versión-de-ti-mismo/a, a crecer en virtud, y a vivir una vida santa. (p 183)

9. Cuando te sientas perdido o confundido, acude a _____Jesús_____ y pídele que te guíe y te consuele. (p 184)

10. ¡Tú eres católico/a, estás vivo/a, eres amado/a, y Dios te ha _____bendecido_____! (p 185)

Lista de Palabras

ORACIÓN	PARROQUIA	EUCARISTÍA	MISIÓN	BENDECIDO
BIEN	JESÚS	AMOR	PROPÓSITO	DIFERENCIA

7 minutos

sugerencia

Si no queda mucho tiempo, usted puede decidir completar esta sección en grupo. Simplemente lea cada pregunta de llenar los espacios en blanco y de verdadero o falso en voz alta, e invite a los estudiantes a responder en voz alta también. Una vez que alguien diga la respuesta correcta, pídales a todos que la escriban en su libro de trabajo. Si no hay suficiente tiempo pídales a los niños que completen el ejercicio como tarea.

_____
_____
_____
_____
_____
_____
_____

La fe es como un brillante rayo de sol. Nos permite ver a Dios en todas las cosas, así como a todas las cosas en Dios.

San Francisco de Sales

DIARIO CON JESÚS

Paso a Paso

1 Invite a sus niños a escribirle una carta a Jesús.

2 Pídales que permanezcan en silencio mientras escriben en su diario.

3 Si usted lo desea puede poner música tranquila de fondo para ayudar a crear un ambiente propicio a la reflexión y motivar a los estudiantes a permanecer en silencio y enfocados en el diario con Jesús.

Solo cuando colocamos a Dios en el centro de todo podemos darle sentido a la vida.

Resistiéndote a la Felicidad

Mis Notas:

_____
_____
_____
_____
_____
_____
_____
_____

Diario con Jesús

Querido Jesús,

Quiero llevar tu amor a todas las personas porque . . .

_____

_____

_____

_____

_____

_____

_____

_____

🕐 5 minutos

_____

_____

_____

_____

_____

_____

sugerencia

Siéntase libre de caminar alrededor del salón mientras los niños hacen sus últimas anotaciones en el diario. Caminar alrededor del salón mantendrá a los niños enfocados en la tarea. Si nota que alguien ha perdido la concentración, simplemente acérquese a él o ella. La proximidad es una excelente forma no verbal de captar la atención de los alumnos.

Confía en el Señor con todo tu corazón y no te apoyes en tu propio entendimiento; en todos tus caminos somete a Él, y Él hará que tus caminos sean rectos.

Proverbios 3, 5-6

189

ORACIÓN FINAL

Paso a Paso

1 Prepare a los niños para rezar con Ben. Espere a que se calmen y hagan silencio.

2 Vean el Episodio 7.

3 Pregúnteles a los niños: "¿Cuáles son algunas de las cosas más importantes que aprendieron en esta sesión?"

- FUI CREADO/A PARA LA MISIÓN.
- MI PARROQUIA ES MI FAMILIA ESPIRITUAL.
- DIOS ME CREÓ CON UN PROPÓSITO.
- DIOS ME HA BENDECIDO.
- MI MAYOR TALENTO ES PODER HACER LA DIFERENCIA EN LAS VIDAS DE LOS DEMÁS.
- LA ORACIÓN ES PODEROSA Y HACE LA DIFERENCIA EN LAS VIDAS DE LOS DEMÁS.
- DIOS NUNCA ME ABANDONARÁ.

Oración Final

Los exploradores llevan una brújula para no perderse. La brújula es una herramienta con una pequeña flecha que siempre apunta hacia el norte. De manera que, aún si no tienes idea de dónde estás, tu brújula te ayudará a encontrar tu camino a casa.

La vida es un gran viaje. Tú eres un/una explorador/a y Jesús es tu brújula. Habrá momentos en los que no sabrás qué hacer. Acude a Jesús durante esos momentos, Él quiere ayudarte a vivir una vida maravillosa.

Recuerda, tú no eres la primera persona en hacer este gran viaje, y tú no estás solo/a. Así como tú rezas por otras personas, otros están rezando por ti. Los ángeles y los santos están echándote porras y rezando por ti en el Cielo. Cada vez que tomas una decisión, ellos rezan para que escojas la mejor opción y que con la ayuda de Dios te conviertas en la-mejor-versión-de-ti-mismo/a.

Así que oremos con los ángeles y los santos para finalizar nuestro tiempo juntos:

Mis Notas:

_____

_____

_____

_____

_____

_____

_____

_____

Padre amoroso, gracias por todas las maneras en que me bendices.
Inspírame a compartir tu amor con todos los que se crucen
mi camino.
Nunca dejes que yo olvide que siempre estás conmigo.

Santa María, Madre de Dios. Ruega por nosotros.
San Miguel, Arcángel. Ruega por nosotros.
San Juan Bautista. Ruega por nosotros.
San José. Ruega por nosotros.
San Pedro. Ruega por nosotros.
San Pablo. Ruega por nosotros.
San Mateo. Ruega por nosotros.
Santa María Magdalena. Ruega por nosotros.
San Antonio. Ruega por nosotros.
San Francisco. Ruega por nosotros.
Santa Clara. Ruega por nosotros.
Santa Catalina. Ruega por nosotros.
Todos los hombres y mujeres santos de Dios.
Rueguen por nosotros.

Amén.

8 minutos

_____
_____
_____
_____
_____
_____
_____

sugerencia

Agradézcales a los niños
por haberle permitido
acompañarlos en su
camino de preparación
para su Primera Comunión.
Recuérdeles que usted
continuará orando por ellos. Y
aliéntelos a nunca olvidar que
¡Dios los ha bendecido!

**No puedes ser medio
santo; debes ser un
santo completo o no
ser santo en absoluto.**

Santa Teresa de Lisieux

Mi Pequeño Catecismo

Tu fabuloso camino con Dios sólo está empezando. A lo largo del camino tendrás muchas preguntas. Las preguntas son buenas, Dios las pone en tu corazón y en tu mente por muchas razones diferentes. Sigue tus preguntas dondequiera que te lleven.

Será fácil encontrar respuestas para algunas de tus preguntas. Para ayudarnos a responder muchas de nuestras preguntas, nuestros líderes espirituales nos han dado el Catecismo de la Iglesia Católica. Las respuestas que encontramos ahí han sido reveladas por Dios y por la naturaleza a través de los siglos.

En las siguientes páginas, compartiremos contigo algunas preguntas que puedes tener sobre Dios y la vida. Las respuestas son fáciles de leer; pero, con frecuencia, son difíciles de vivir. Sin embargo, te ayudarán a convertirte en la-mejor-versión-de-ti-mismo, a crecer en virtud, y a vivir una vida santa.

En tu vida, habrá momentos en los que tendrás preguntas que no pueden ser respondidas con palabras en una página. Por ejemplo, a qué vocación estás llamado, o qué carrera debes ejercer. En esos momentos buscarás respuestas profundamente personales para preguntas profundamente personales.

Esas preguntas requieren mucha más paciencia. Busca el consejo de personas sabias que aman al Señor. Lee lo que hombres y mujeres sabios han tenido que decir sobre tales temas; pero, sobre todo, reza y pídele a Dios que te muestre su camino.

A medida que avanzas en este caminar, encontrarás a otras personas que también tienen preguntas. Ayúdalas lo mejor que puedas a encontrar respuestas. Todas las personas merecen respuestas para sus preguntas.

Y nunca, jamás, olvides que . . . ¡Dios te ha bendecido!

1. **P: ¿Quién te hizo?**

   R: Dios te hizo.

   En la Biblia: Génesis 1,1, 26-27; Génesis 2,7, 21-22
   En el Catecismo: CEC 355

2. **P: ¿Te ama Dios?**

   R: Sí. Dios te ama más que nadie en el mundo
   y más de lo que tú te podrías imaginar jamás.

   En la Biblia: Juan 3,16
   En el Catecismo: CEC 457, 458

3. **P: ¿Para qué te hizo Dios?**

   R: Dios te hizo para conocerlo, amarlo y llevar a cabo la misión que nos ha
   confiado en este mundo, y para ser feliz con Él para siempre en el Cielo.

   En la Biblia: Deuteronomio 10, 12-15; Juan 17,3
   En el Catecismo: CEC 1, 358

4. **P: ¿Qué es Dios?**

   R: Dios es un espíritu infinito y perfecto.

   En la Biblia: Éxodo 3,6; Isaías 44,6; 1 Juan 4,8 16
   En el Catecismo: CEC 198-200, 212, 221

5. **P: ¿Tuvo Dios un comienzo?**

   R: No. Dios no tuvo un comienzo. Él siempre fue y Él siempre será.

   En la Biblia: Salmo 90,2; Apocalipsis 1,8
   En el Catecismo: CEC 202

6. **P: ¿Dónde está Dios?**

   R: En todas partes.

   En la Biblia: Salmo 139
   En el Catecismo: CEC 1

7. **P: ¿Nos ve Dios?**

   R: Dios nos ve y nos protege.

   En la Biblia: Sabiduría 11,24-26; Jeremías 1,5
   En el Catecismo: CEC 37, 301, 302

8. **P: ¿Lo sabe todo Dios?**

   R: Sí. Dios lo sabe todo, hasta nuestros pensamientos más secretos, nuestras palabras y acciones.

En la Biblia: Job 21,22; Salmo 33,13-15; Salmo 147,4-5
En el Catecismo: CEC 208

9. P: ¿Es Dios amoroso, justo, santo, y misericordioso?

R: Sí, Dios es amoroso, todo justo, todo santo, y todo misericordioso — y nos invita a que también seamos amorosos, justos, santos, y misericordiosos.

En la Biblia: Juan 13,34; 1 Juan 4,8; Efesios 2,4
En el Catecismo: CEC 214, 211, 208

10. P: ¿Hay un solo Dios?

R: Yes, there is only one God.

En la Biblia: Juan 8,58; Isaías 44,6
En el Catecismo: CEC 253

11. P: ¿Por qué hay solamente un Dios?

R: Sólo puede haber un Dios, porque Dios es supremo e infinito, no puede tener un igual.

En la Biblia: Éxodo 3,14; Juan 8,58
En el Catecismo: CEC 253

12. P: ¿Cuántas Personas hay en Dios?

R: En Dios hay tres Personas Divinas, únicas y distintas y, sin embargo, iguales en todo — el Padre, el Hijo, y el Espíritu Santo.

En la Biblia: 1 Corintios 12, 4-6; 2 Corintios 13,13; Efesios 4,4-6
En el Catecismo: CEC 252, 254, 255

13. P: ¿Es Dios el Padre?

R: Sí.

En la Biblia: Éxodo 3,6; Éxodo 4,22
En el Catecismo: CEC 253, 262

14. P: ¿Es Dios el Hijo?

R: Sí.

En la Biblia: Juan 8,58; Juan10,30
En el Catecismo: CEC 253, 262

15. P: ¿Es Dios el Espíritu Santo?

R: Sí.

En la Biblia: Juan 14,26; Juan 15,26
En el Catecismo: CEC 253, 263

16. **P: ¿Qué es la Santísima Trinidad?**

R: La Santísima Trinidad es un Dios en tres Personas Divinas —
Padre, Hijo, y Espíritu Santo.

En la Biblia: Mateo 28,19
En el Catecismo: CEC 249, 251

17. **P: ¿Qué es el libre albedrío?**

R: El libre albedrío es un regalo increíble de Dios que nos permite tomar
nuestras propias decisiones. Este regalo increíble trae consigo una gran
responsabilidad.

En la Biblia: Sirácides15,14-15;
En el Catecismo: CEC 1731

18. **P: ¿Qué es el pecado?**

R: Un pecado es cualquier pensamiento, palabra, hecho,
u omisión deliberada contraria a la ley de Dios.

En la Biblia: Génesis 3,5, Éxodo 20,1-17
En el Catecismo: CEC 1850

19. **P: ¿Cuántas clases de pecado hay?**

R: Hay dos clases de pecado — venial y mortal.

En la Biblia: 1 Juan 5,16, 17
En el Catecismo: CEC 1855

20. **P: ¿Qué es un pecado venial?**

R: Un pecado venial es una ofensa leve a Dios.

En la Biblia: Mateo 5,19; 1 Juan 5,16-18
En el Catecismo: CEC 1855; 1863

21. **P: ¿Qué es un pecado mortal?**

R: Un pecado mortal es una ofensa grave a Dios y en contra de su ley.

En la Biblia: Mateo 12,32; 1 Juan 5,16-18
En el Catecismo: CEC 1855; 1857

22. **P: ¿Nos abandona Dios cuando pecamos?**

R: Nunca. Dios siempre está llamándonos, rogándonos que volvamos a Él y a su camino.

En la Biblia: Salmo 103, 9-10. 13; Jeremías 3,22; Mateo 28, 20; Lucas 15, 11-32
En el Catecismo: CEC 27, 55, 982

23. P: ¿Qué Persona de la Santísima Trinidad se hizo hombre?
R: La Segunda Persona, Dios Hijo, se hizo hombre
sin desprenderse de su naturaleza divina.

En la Biblia: 1 Juan 4,2
En el Catecismo: CEC 423, 464

24. P: ¿Qué nombre se le dio a la Segunda Persona cuando se hizo hombre?
R: Jesús.

En la Biblia: Lucas 1,31; Mateo 1,21
En el Catecismo: CEC 430

25. P: ¿Cuándo el Hijo se hizo hombre, tenía una madre humana?
R: Sí.

En la Biblia: Lucas 1,26, 27
En el Catecismo: CEC 488, 490, 495

26. P: ¿Quién fue la Madre de Jesús?
R: La Santísima Virgen María.

En la Biblia: Lucas 1,30. 31; Mateo 1,21-23
En el Catecismo: CEC 488, 495

27. P: ¿Por qué honramos a María?
R: Porque es la Madre de Jesús y también nuestra madre.

En la Biblia: Lucas 1,48; Juan 19,27
En el Catecismo: CEC 971

28. P: ¿Quién fue el verdadero Padre de Jesús?
R: Dios Padre.

En la Biblia: Lucas 1,35; Juan 17,1
En el Catecismo: CEC 422, 426, 442

29. P: ¿Quién fue el Padre Adoptivo de Jesús?
R: José.

En la Biblia: Mateo 1,19. 20; Mateo 2,13. 19-21
En el Catecismo: CEC 437, 488, 1655

30. **P: ¿Es Jesús Dios, o es un hombre, o es ambos Dios y hombre?**

R: Jesús es ambos Dios y hombre. Como la Segunda Persona de la Santísima Trinidad, es Dios; y como tomó una naturaleza humana de su madre María, Él es hombre.

En la Biblia: Filipenses 2, 6-7; Juan 1,14. 16; Juan 13,3; 1 Juan 4,2
En el Catecismo: CEC 464, 469

31. **P: ¿Fue Jesús un hombre también?**

R: Si, Jesús fue completamente Dios y completamente humano.

En la Biblia: Lucas 24,39; 1 Juan 4,2-3
En el Catecismo: CEC 464, 469, 470

32. **P: ¿Qué día nació Jesús?**

R: Jesús nació el día de Navidad en un establo en Belén.

En la Biblia: Lucas 2,1-20; Mateo 1,18-25
En el Catecismo: CEC 437, 563

33. **P: ¿Qué es la Encarnación?**

R: La Encarnación es la creencia que Jesús se hizo hombre.

En la Biblia: Juan 1,14; 1 Juan 4,2
En el Catecismo: CEC 461, 463

34. **P: ¿Amó Jesús la vida?**

R: Sí.

En la Biblia: Juan 10,10; Juan 2,1-12
En el Catecismo: CEC 221, 257, 989

35. **P: Si Jesús amó la vida, ¿por qué murió en la cruz voluntariamente?**

R: Murió en la cruz porque nos amó más a ti y a mí que a la vida.

En la Biblia: Romanos 5,8; Juan 15,13; Efesios 5,2
En el Catecismo: CEC 1825, 604

36. **P: ¿Por qué Jesús sufrió y murió?**

R: Para que nos fueran perdonados nuestros pecados, y viviéramos con Él en el Cielo para siempre después de esta vida.

En la Biblia: Juan 3,16; 2 Corintios 5,14-16
En el Catecismo: CEC 604, 618, 620

37. **P: ¿Cómo llamamos el misterio de Dios hecho hombre?**

R: El Misterio de la Encarnación.

En la Biblia: Juan 1,14; 1 Juan 4,2
En el Catecismo: CEC 461, 463

38. P: ¿Qué día murió Jesús en la cruz?

R: El Viernes Santo, el día después de la Última Cena.

En la Biblia: Juan 19,16-40; Mateo 27,33-50
En el Catecismo: CEC 641

39. P: ¿Qué día resucitó Jesús de entre los muertos?

R: El Domingo de Pascua o de Resurrección, tres días después del Viernes Santo.

En la Biblia: Mateo 28,1-6; Mc 16,1-8
En el Catecismo: CEC 1169, 1170

40. P: ¿Qué regalos recibimos como resultado de haber sido salvados por Jesús?

R: Al morir en la cruz, Jesús restauró nuestra relación con Dios y abrió una compuerta de gracia.

En la Biblia: Lucas 23,44-46 Romanos 3,21-26; 2 Corintios 5,17-21
En el Catecismo: CEC 1026, 1047

41. P: ¿Qué es la gracia?

R: La gracia es la ayuda que Dios nos da para que respondamos generosamente a su llamado a hacer lo que es bueno y correcto, a crecer en virtud, y a vivir una vida santa.

En la Biblia: Juan 1,12-18; 2 Corintios 12,9
En el Catecismo: CEC 1996

42. P: ¿Qué es la Fe?

R: La fe es un regalo de Dios, una virtud sobrenatural que nos permite creer firmemente todas las verdades que Dios nos ha revelado.

En la Biblia: Hebreos 11,1
En el Catecismo: CEC 1814

43. P: ¿Qué es la Esperanza?

R: La Esperanza es un regalo de Dios, una virtud sobrenatural que nos permite confiar firmemente en que Dios cumplirá todas sus promesas y nos llevará al Cielo.

En la Biblia: Romanos 8,24-25; 1 Timoteo 4,10; 1 Timoteo 1,1; Hebreos 6,18-20
En el Catecismo: CEC 1817, 1820-1821

44. **P: ¿Qué es la Caridad?**

R: La Caridad es un regalo de Dios, una virtud sobrenatural que nos permite amar a Dios sobre todas las cosas y a nuestro prójimo como a nosotros mismos.

En la Biblia: Juan 13,34; 1 Corintios 13,4-13
En el Catecismo: CEC 1822, 1823, 1825

45. **P: ¿Te dará Dios los regalos de la Fe, la Esperanza, y la Caridad?**

R: Sí, Dios da los regalos de la Fe, la Esperanza, y la Caridad gratuitamente a todos los que los piden sincera y consistentemente.

En la Biblia: 1 Corintios 13,13
En el Catecismo: CIC1813

46. **P: ¿Por cuánto tiempo me amará Dios?**

R: Dios te amará para siempre.

En la Biblia: Juan 13,1; Romanos 8,35-39
En el Catecismo: CEC 219

47. **P: ¿Cuándo ascendió Jesús al Cielo?**

R: El Jueves de la Ascensión, cuarenta días después de la Pascua de Resurrección.

En la Biblia: Hechos 1,9; Marcos 16,19
En el Catecismo: CEC 659

48. **P: ¿Cuándo descendió el Espíritu Santo sobre los Apóstoles?**

R: El Domingo de Pentecostés, cincuenta días después de la Pascua de Resurrección.

En la Biblia: Juan 20,21.22; Mateo 28,19
En el Catecismo: CEC 731, 1302

49. **P: ¿Qué quiere decir Redención?**

R: Redención quiere decir que la Encarnación, la Vida, la Muerte, y la Resurrección de Jesús pagaron el precio por nuestros pecados, abrieron las puertas del Cielo, y nos libraron del pecado y de la muerte.

En la Biblia: Efesios 1,7; Romanos 3,22-24; Romanos 4,25
En el Catecismo: CEC 517, 606, 613

50. **P: ¿Qué estableció Jesús para continuar su misión redentora?**

R: Estableció la Iglesia Católica.

En la Biblia: Mateo 16,18
En el Catecismo: CEC 773, 778, 817, 822

51. **P: ¿Por qué creemos que la Iglesia Católica es la única y verdadera Iglesia?**

    R: Porque es la única Iglesia establecida por Jesús.

    En la Biblia: Mateo 16,18
    En el Catecismo: CEC 750

52. **P: ¿Importa a qué Iglesia o religión uno pertenece?**

    R: Sí, para ser fieles a Jesús, es necesario permanecer en la Iglesia que El estableció.

    En la Biblia: Marcos 16,16; Juan 3,5
    En el Catecismo: CEC 846

53. **P: ¿Cuáles son las Cuatro Marcas de la Iglesia?**

    R: Una, Santa, Católica, y Apostólica.

    En la Biblia: Efesios 2,20. 4,3. 5,26; Mateo 28,19; Apocalipsis 21,14
    En el Catecismo: CEC 813, 823, 830, 857

54. **P: ¿Cómo preserva la Iglesia las enseñanzas de Jesús?**

    R: Por medio de la Sagrada Escritura y la Sagrada Tradición.

    En la Biblia: 2 Timoteo 2,2; 2 Tesalonicenses 2,15
    En el Catecismo: CEC 78, 81, 82

55. **P: ¿Cómo se diferencia el calendario de la Iglesia del calendario secular?**

    R: El primer día del año de la Iglesia es el primer Domingo de Adviento, no el 1° de enero. El calendario de la Iglesia gira alrededor de la vida, muerte, y resurrección de Jesús. A lo largo del año de la Iglesia se despliega el misterio de Jesucristo.

    En la Biblia: Lucas 2, 1-20; 1 Corintios 15, 3-4
    En el Catecismo: CEC 1163; 1171, 1194

Profundizando

En el curso del año, experimentamos la historia de Jesús a través de las lecturas de la Misa, de los días de fiesta y de los días de precepto. El calendario de la Iglesia hace esto para recordarnos que la historia de Jesús no se trata simplemente de lo que pasó hace más de dos mil años. Se trata de nuestra amistad con El hoy. Él misterio de su vida, de sus enseñanzas, y de la gracia salvadora está desplegándose en tu vida y en la vida de la iglesia hoy.

56. **P: ¿Le dio Jesús una autoridad especial a uno de los Apóstoles?**

R: Sí, a Pedro, cuando le dijo "Te daré las llaves del Reino de los Cielos, y lo que ates en la tierra será atado en el Cielo, y lo que desates en la tierra será desatado en el Cielo".

En la Biblia: Marcos 3,16. 9,2; Lucas 24,34
En el Catecismo: CEC 552, 881

57. **P: ¿Quién habla con la autoridad que Jesús le dio a San Pedro?**

R: El Papa, que es el sucesor de San Pedro, el Obispo de Roma, y el Vicario de Cristo en la tierra.

En la Biblia: Mateo 16,18; Juan 21, 15-17
En el Catecismo: CEC 891

58. **P: ¿Cómo se llama el Papa actual?**

R: Papa Francisco.

En la Biblia: Mateo 16,18; Juan 21,15-17
En el Catecismo: CEC 936

59. **P: ¿Qué es la Sagrada Liturgia?**

R: El culto público a Dios de la Iglesia.

En la Biblia: Juan 4,23-24
En el Catecismo: CEC 1069, 1070

60. **P: ¿Qué actitud debemos tener cuando participamos en la Sagrada Liturgia?**

R: Debemos tener una actitud reverente en nuestro corazón y respeto en nuestras acciones y en nuestra apariencia.

En la Biblia: Hebreos 12,28
En el Catecismo: CEC 2097

61. **P: ¿Qué es un Sacramento?**

R: Un Sacramento es un signo exterior instituido por Cristo y confiado a la Iglesia, para dar gracia. La gracia lleva frutos a aquéllos que lo reciben con la disposición requerida.

En la Biblia: 2 Pedro 1,4
En el Catecismo: CEC 1131

Profundizando

Dios te da gracia para ayudarte a hacer lo que es bueno y correcto. Cuando te abres a Dios, también te da gracia para que seas bueno, generoso, valiente y compasivo con el prójimo. La gracia trae frutos buenos a nuestra vida. Una de las maneras más poderosas en las que Dios comparte su gracia con nosotros es por medio de los Sacramentos. Esta gracia nos ayuda a convertirnos en la-mejor-versión-de-nosotros-mismos, a crecer en virtud y a vivir una vida santa.

62. **P: ¿Cómo comparte Jesús su vida con nosotros?**
    R: Durante su vida terrenal, Jesús compartió su vida con otras personas por medio de sus palabras y de sus obras; ahora, Él comparte la misma vida con nosotros a través de los Sacramentos.

    En la Biblia: Juan 3,16
    En el Catecismo: CEC 521; 1131, 1115-1116

    Profundizando
    A Dios le encanta compartir su vida y su amor con nosotros. Podemos experimentar su vida por medio de la oración diaria, de la Escritura, y sirviendo unos a otros. La manera más poderosa en que Dios comparte su vida con nosotros es por medio de los Sacramentos. La Misa dominical y la Reconciliación regular son dos Sacramentos que nos guían y nos alientan en nuestra jornada para convertirnos en la-mejor-versión-de-nosotros-mismos, crecer en virtud, y vivir una vida santa.

63. **P: ¿Cuántos Sacramentos hay?**
    R: Siete.

    En la Biblia: Juan 20, 22-23; Lucas 22, 14-20; Juan 7,37-39, Santiago 5, 14-16; Hebreos 5, 1-6; Mateo 19,6
    En el Catecismo: CEC 1113

64. **P: ¿Cuáles son los siete Sacramentos, y cuáles has recibido tú?**
    R: Bautismo, Reconciliación, Eucaristía, Confirmación, Orden Sacerdotal, Matrimonio, Unción de los Enfermos. Tú has recibido el Bautismo, la Reconciliación, y la Eucaristía.

    En la Biblia: Juan 20, 22-23; Lucas 22, 14-20; Juan 7,37-39, Santiago 5, 14-16; Hebreos 5, 1-6; Mateo 19,6
    En el Catecismo: CEC 1113

65. **P: ¿Cuáles son los Sacramentos que puedes recibir sólo una vez?**
    R: El Bautismo, la Confirmación, y el Orden Sacerdotal.

    En la Biblia: Efesios 4,30
    En el Catecismo: CEC 1272

66. **P: ¿Cómo se lleva a cabo la iniciación cristiana?**

R: La iniciación cristiana se lleva a cabo con tres Sacramentos: el Bautismo, que es el comienzo de la nueva vida; la Confirmación, que fortalece nuestra nueva vida en Cristo; y la Eucaristía, que alimenta a los discípulos con el Cuerpo y la Sangre de Jesús para que seamos transformados en Cristo.

En la Biblia: Juan 3,5; He 8,14-17; Juan 6,51-58
En el Catecismo: CEC 1212; 1275

Profundizando

La vida es un caminar con Dios. El Bautismo, la Confirmación y la Primera Comunión son grandes momentos en nuestro caminar; son Sacramentos que obran juntos para ayudarte a vivir tu vida mejor. En el Bautismo, recibimos una nueva vida en Jesús; en la Confirmación, Dios nos recuerda que tiene una misión especial pata todos y cada uno de nosotros; y la Primera Comunión nos da la fuerza y la sabiduría para vivir esa misión sirviendo a Dios y a los demás.

67. **P: Cuando naciste, ¿tenías Gracia Santificante (una parte en la vida de Dios)?**

R: No.

En la Biblia: Colosenses 1,12-14
En el Catecismo: CEC 403, 1250

68. **P: ¿Por qué no nacemos con Gracia Santificante?**

R: Porque nacemos con el pecado original que es la pérdida de la Gracia Santificante.

En la Biblia: Génesis 3,23
En el Catecismo: CEC 403, 1250

69. **P: ¿Fue algún ser humano concebido sin pecado original?**

R: Sí, María en su Inmaculada Concepción.

En la Biblia: Lucas 1:28
En el Catecismo: CEC 491, 492

70. **P: ¿Cuál fue el pecado original?**

R: Adán y Eva fueron tentados por el diablo, y escogieron desconfiar de la bondad de Dios y desobedecer su ley.

En la Biblia: Génesis 3,1-11; Romanos 5,19
En el Catecismo: CEC 397

71. **P: ¿Hay realmente un diablo?**

R: Sí.

En la Biblia: 1 Juan 5,19; 1 Pedro 5,8
En el Catecismo: CEC 391

72. P: ¿Es más fácil ser malo o ser bueno?

R: Es más fácil ser malo, porque el pecado original nos ha dejado con una inclinación a pecar, llamada concupiscencia.

En la Biblia: Romanos 7,15-18
En el Catecismo: CEC 409, 1264, 2516

73. P: ¿Cuándo recibiste la Gracia Santificante por primera vez?

R: En el Bautismo.

En la Biblia: 2 Corintios 5,17
En el Catecismo: CEC 1265

74. P: ¿Qué es el Bautismo?

R: Es el Sacramento del renacer en Jesús que es necesario para la salvación.

En la Biblia: 2 Corintios 5,17; 2 Pedro 1,4; Gálatas 4,5-7
En el Catecismo: CEC 1266, 1277, 1279

Profundizando

El Bautismo es una gran bendición. Por medio de tu Bautismo te conviertes en miembro de la Iglesia Católica. Esta es otra razón maravillosa por la cual ser católico es una gran bendición. Por medio de tu Bautismo recibiste una nueva vida en Jesús. Tú fuiste hecho para la misión. Dios tenía esa misión en mente cuando fuiste bautizado y, desde entonces, cada día ha estado preparándote para tu misión. Descubrimos esa misión por medio de la oración, de los Sacramentos, y del servicio al prójimo. Dios no revela nuestra misión de una sola vez, Él la revela paso a paso.

75. P: ¿Cuáles son los frutos del Bautismo?

R: El Bautismo nos hace cristianos, nos limpia del pecado original y personal, y nos recuerda que somos hijos de Dios y miembros del Cuerpo de Cristo — la Iglesia.

En la Biblia: Gálatas 4,5-7
En el Catecismo: CEC 1279

Profundizando

En el Bautismo Dios nos da muchos regalos. Nos volvemos cristianos, nuestros pecados son perdonados, se nos da una nueva vida en Jesús, y Dios nos marca para una gran misión. Dios puede hacer todo esto por medio del poder del

Espíritu Santo. En el Bautismo, nuestra alma se inunda con el don del Espíritu Santo, el cual nos ayuda en nuestra jornada a acercarnos más a Dios. Todos y cada uno de los Sacramentos que recibimos están llenos de regalos, grandes y pequeños. Cada bendición nos recuerda que somos hijos de un Padre amoroso.

76. P: ¿Qué hizo el Bautismo por ti?

R: El Bautismo te hizo miembro del Cuerpo de Dios, te hizo hijo/hija de Dios, y te libró del pecado original.

En la Biblia: 2 Corintios 5,17; 2 Pedro 1,4; Gálatas 4,5-7
En el Catecismo: CEC 1266, 1279

77. P: ¿Qué edad tiene que tener una persona para ser bautizada?

R: Una persona puede ser bautizada a cualquier edad. Desde los primeros tiempos del cristianismo, el Bautismo ha sido administrado a bebés porque es una gracia y un regalo dado gratuitamente por Dios y no presupone ningún mérito humano.

En la Biblia: Hechos 2,37-39
En el Catecismo: CEC 1282

Profundizando

El amor de Dios es un don gratuito. No hay nada que puedas hacer para ganarlo o perderlo. Puedes ser tentado a pensar que es algo que hay que ganar; esto no es cierto. Dios te amó en la vida, y te amó en la Iglesia. No hiciste nada para nacer, y si fuiste bautizado de bebé, no hiciste nada para ser bautizado. No hiciste nada para merecer la vida o el Bautismo. Dios te da la vida y la fe gratuitamente.

78. P: ¿Quién administra el Sacramento del Bautismo?

R: En una emergencia, cualquier persona puede administrar el Sacramento del Bautismo echando agua sobre la cabeza de la persona y diciendo "Yo te bautizo en el Nombre del Padre, y del Hijo, y del Espíritu Santo"; pero usualmente es administrado por un sacerdote o un diácono.

En la Biblia: Mateo 28,19
En el Catecismo: CEC 1284

Profundizando

No todas las personas son bautizadas de bebés, algunas no aprenden sobre Jesús hasta que son adultas. Pero Dios quiere que todos reciban la bendición del Bautismo. Él quiere que todos sean parte de su familia la Iglesia Católica, quiere que todos estén libres del pecado original. Él quiere que todos tengan una vida nueva en su Hijo Jesús y que pasen la eternidad con Él en el Cielo.

79. P: ¿Cuánto tiempo permaneces siendo hijo de Dios?
    R: Para siempre.

    En la Biblia: 1 Pedro 1,3. 4
    En el Catecismo: CEC 1272, 1274

80. P: ¿Puedes dejar de ser parte de la vida de Dios después del Bautismo?
    R: Sí.

    En la Biblia: Marcos 3,29
    En el Catecismo: CEC 1861

81. P: ¿Podemos perder la nueva vida de gracia que Dios nos ha dado gratuitamente?
    R: Sí. La nueva vida de gracia se puede perder por el pecado.

    En la Biblia: 1 Corintios 6,9; 2 Corintios 5, 19-21, 1 Juan 1,9
    En el Catecismo: CEC 1420

    Profundizando
    En el Bautismo somos llenados con una gracia muy especial. Esta gracia nos bendice con una vida nueva y nos lleva a la amistad con Dios. Esa vida nueva puede lastimarse o perderse cuando pecamos. Cuando eso pase, no te preocupes, porque ¡Dios nos ha dado la bendición de la Reconciliación! Siempre que estemos sinceramente arrepentidos de haber pecado, podremos experimentar nuevamente la plenitud de la vida con Dios. ¡La Reconciliación es una gran bendición!

82. P: ¿Cómo puedes perder la Gracia Santificante (una parte en la vida de Dios)?
    R: Cometiendo un pecado mortal.

    En la Biblia: Gálatas 5,19-21; Romanos 1,28-32
    En el Catecismo: CEC 1861

83. P: ¿Cuál es peor, un pecado venial o un pecado mortal?
    R: El pecado mortal.

    En la Biblia: 1 Juan 5,16
    En el Catecismo: CEC 1855, 1874, 1875

84. **P: ¿Cuáles son las tres características que hacen a un pecado mortal?**

R: 1. Desobedecer a Dios en algo serio.

2. Hacer algo que sabes que es malo.

3. A pesar de todo decidir libremente hacerlo.

En la Biblia: Marcos 10,19; Lucas 16, 19-31; Santiago 2, 10-11
En el Catecismo: CEC 1857

85. **P: ¿Qué pasa si mueres en estado de pecado mortal?**

R: Vas al infierno.

En la Biblia: 1 Juan 3,14-15; Mateo 25,41-46
En el Catecismo: CEC 1035, 1472, 1861, 1874

86. **P: ¿Hay realmente un infierno?**

R: Si, es el lugar de separación eterna de Dios

En la Biblia: Isaías 66,24; Marcos 9,47. 48
En el Catecismo: CEC 1035

87. **P: ¿Qué pasa si mueres con un pecado venial en tu alma?**

R: Vas al purgatorio, donde eres purificado y perfeccionado.

En la Biblia: 1 Corintios 3,14-15; 2 Macabeos 12,45-46
En el Catecismo: CEC 1030, 1031, 1472

88. **P: ¿Qué les pasa a las almas en el purgatorio después de su purificación?**

R: Van al Cielo.

En la Biblia: 2 Macabeos 12,45
En el Catecismo: CEC 1030

89. **P: ¿Hay realmente un Cielo?**

R: Si; es el lugar de felicidad eterna con Dios.

En la Biblia: 1 Juan 3,2; 1 Corintios 13,12; Apocalipsis 22,4
En el Catecismo: CEC 1023, 1024

90. **P: ¿Puede cualquier pecado ser perdonado sin importar cuán grave sea?**

R: Sí, cualquier pecado, no importa cuán grave es o cuántas veces es cometido, puede ser perdonado.

En la Biblia: Mateo 18,21-22
En el Catecismo: CEC 982

91. P: ¿Cuál es el propósito principal del Sacramento de la Reconciliación?

R: El propósito principal del Sacramento de la Reconciliación es el perdón de los pecados cometidos después del Bautismo.

En la Biblia: Sirácides 18,12-13; Sirácides 21,1; Hechos 26, 17-18
En el Catecismo: CEC 1421; 1446; 1468

Profundizando

Por medio del Bautismo nos convertimos en hijos de Dios, somos bienvenidos a una nueva vida de gracia, y se nos da la promesa del Cielo. A medida que crecemos, podemos hacer cosas que dañan nuestra relación con Dios; pero El sigue amándonos, y nos invita a participar regularmente en la Reconciliación para que nuestra amistad con Él siempre pueda ser tan fuerte como lo fue en el Bautismo. Si ofendemos a Dios, lo mejor que hay que hacer es decirle que lo sentimos yendo a la Reconciliación.

92. P: ¿Cuales son otros nombres por los que se conoce el Sacramento de la Reconciliación?

R: En diferentes lugares y en distintos momentos, también se le llama el Sacramento de la Conversión, de la Confesión o de la Penitencia.

En la Biblia: Marcos 1,15; Proverbios 28,13; Hechos 3,19; 2 Pedro 3,9
En el Catecismo: CEC 1423; 1424

Profundizando

Jesús te ama y quiere salvarte de tus pecados. Quiere salvarte porque quiere vivir en amistad contigo en la tierra y en el Cielo. Él quiere compartir su alegría contigo y que tú, compartas esa alegría con los demás. No importa qué nombre se use, el Sacramento de la Reconciliación restaura nuestra amistad con Dios y nos ayuda a convertirnos en la-mejor-versión-de-nosotros-mismos, a crecer en virtud, y a vivir una vida santa.

93. ¿Es el Sacramento de la Reconciliación una bendición?

R: Sí, es una gran bendición de Dios.

En la Biblia: Salmo 32, 1-2; Romanos 4,6-8
En el Catecismo: CEC 1468; 1496

94. P: ¿Quién comete pecados?

R: Todas las personas pecan.

En la Biblia: Romanos 3,23-25; 1 Juan 1,8-10
En el Catecismo: CEC 827

95. P: ¿Cómo puede ser perdonado un pecado mortal?

R: Por medio del Sacramento de la Reconciliación.

En la Biblia: 2 Corintios 5,20-21
En el Catecismo: CEC 1446, 1497

96. P: Cuál es la manera común de reconciliarnos con Dios y con su Iglesia?

R: La manera común de reconciliarnos con Dios y con su Iglesia
es por medio de la confesión personal de todo pecado grave
a un sacerdote, seguida de la absolución.

En la Biblia: Juan 20,23
En el Catecismo: CEC 1497

Profundizando

Todos nos alejamos de Dios de vez en cuando. Cuando lo hacemos, es un buen
momento de ir al Sacramento de la Reconciliación y decirle a Dios lo siento.
Puedes ser tentado a caer en la trampa de pensar que tu pecado es demasiado
grande para que Dios lo perdone; mas no hay nada que puedas hacer para
que Dios deje de amarte. Las puertas de la iglesia siempre están abiertas y
Dios siempre está dispuesto a perdonarnos cuando sentimos haber pecado. ¡El
Sacramento de la Reconciliación es una gran bendición!

97. P: Cuáles son las tres cosas que tienes que hacer para recibir el perdón de los
pecados en el Sacramento de la Reconciliación?

R: 1. Estar sinceramente arrepentido de haber pecado.

2. Confesar todos los pecados mortales por su nombre y el número de veces
cometidos desde la última confesión.

3. Buscar la manera de enmendar tu vida.

En la Biblia: Romanos 8,17; Romanos 3,23-26
En el Catecismo: CEC 1448

Profundizando

Cuando pecamos nos volvemos intranquilos e infelices. Dios no quiere esto, así
que nos invita a ir a la Reconciliación para llenarnos con su alegría. Puede que
haya momentos en tu vida en que te sientas lejos de Dios; pero nunca pienses
que Dios no quiere que vuelvas a Él. Nunca pienses que tus pecados son
más grandes que el amor de Dios. El amor y la misericordia de Dios siempre
estarán esperándote en el Sacramento de la Reconciliación.

98. P: ¿Cuáles son las tres acciones que se nos piden realizar en el Sacramento de la Reconciliación?

R: Arrepentirnos de haber pecado, confesar los pecados al sacerdote, y tener la intención de expiar nuestros pecados cumpliendo la penitencia que nos da el sacerdote.

En la Biblia: 1 Juan 1,9
En el Catecismo: CEC 1491

Profundizando

La Reconciliación regular es una de las maneras más poderosas en que Dios comparte su gracia y su misericordia con nosotros. Dios nos pide que nos arrepintamos de haber pecado, que confesemos nuestros pecados en voz alta al sacerdote, y que hagamos un acto de penitencia para que nuestra amistad con Dios sea restaurada y fortalecida. Mientras más asistas a la Reconciliación, más llegarás a darte cuenta del poder increíble de la gracia y de la misericordia de Dios en tu vida.

99. P: ¿Quién tiene poder para perdonar los pecados?

R: Jesucristo por medio de un sacerdote católico.

En la Biblia: Juan 20,23; 2 Corintios 5,18
En el Catecismo: CEC 1461, 1493, 1495

100. P: ¿Puede el sacerdote hablar de tus pecados con otras personas?

R: No. El sacerdote tiene que guardar en secreto todos los pecados que le son confesados.

En la Biblia: 2 Corintios 5,18-19
En el Catecismo: CEC 1467

Profundizando

Si estás nervioso acerca de ir a la Confesión, está bien; estar nervioso es natural. Sólo entiende que el sacerdote está ahí para ayudarte; él no pensará mal de ti debido a tus pecados ni le dirá a nadie cuáles son. Por el contrario, estará feliz de que hayas ido a confesarte. Recuerda, el sacerdote está ahí para animarte, para extenderte el amor y la misericordia de Dios, y para ayudarte a crecer en virtud.

101. P: ¿Cuál es el propósito de la penitencia?

R: Después de haber confesado tus pecados, el sacerdote te dará una penitencia para que la cumplas. El propósito de estos actos de penitencia es reparar el daño causado por el pecado y restablecer los hábitos de un discípulo de Cristo.

En la Biblia: Lucas 19,8; Hechos 2,38
En el Catecismo: CEC 1459-1460

102. **P: ¿Con cuánta frecuencia debo ir a confesarme?**

R: Debes ir inmediatamente si estás en estado de pecado mortal; de otra manera, es recomendable que vayas una vez al mes, ya que es muy recomendable confesar los pecados veniales. Antes de la confesión, debes examinar tu conciencia cuidadosamente.

En la Biblia: Hechos 3,19; Lucas 5, 31-32; Jeremías 31,19
En el Catecismo: CEC 1457, 1458

Profundizando

A Dios le gustan las relaciones saludables, y el perdón es esencial para tenerlas. Asistir regularmente al Sacramento de la Reconciliación y pedir perdón, es una manera poderosa de tener una relación fabulosa con Dios. Muchos de los santos iban a la Reconciliación todos los meses, algunos aún con más frecuencia. Ellos sabían que ir a confesarse era la única manera de estar reconciliados con Dios. También sabían que nada les proporcionaba más alegría que tener una fuerte amistad con Jesús.

103. **P: ¿Nos reconcilia el Sacramento de la Reconciliación solamente con Dios?**

R: No. El Sacramento de la Reconciliación nos reconcilia con Dios y tambien con la Iglesia.

En la Biblia: 1 Corintios 12,26
En el Catecismo: CEC 1422, 1449, 1469

Profundizando

Dios se deleita en su relación contigo y en tu relación con la Iglesia. El pecado enferma tu alma, lastima a otras personas, y daña tu relación con Dios y con la Iglesia. Cuando nos confesamos, Dios nos perdona y sana nuestra alma. También sana nuestra relación con Él y con la Iglesia por medio del Sacramento de la Reconciliación.

104. **P: ¿Cómo experimentamos la misericordia de Dios?**

R: Nosotros experimentamos la misericordia de Dios en el Sacramento de la Reconciliación; también a través de la bondad, la generosidad, y la compasión de otras personas. La misericordia de Dios nos acerca a Él. También podemos ser instrumentos de la misericordia de Dios realizando obras de misericordia con bondad, generosidad y compasión.

En la Biblia: Lucas 3,11; Juan 8,11
En el Catecismo: CEC 1422, 1449, 2447

Profundizando

Algunas veces cuando hacemos algo que está mal, podemos estar tentados a pensar que Dios ya no nos amará. Pero eso nunca es cierto. Dios siempre te amará porque nuestro Dios es un Dios misericordioso. Él nos muestra su misericordia perdonándonos, enseñándonos y cuidando de nuestras necesidades físicas y espirituales aun cuando no lo merezcamos. Nos muestra su misericordia a través del Sacramento de la Reconciliación y a través de las acciones amorosas de otras personas. Dios te invita a propagar su misericordia perdonando al prójimo, rezando por otras personas, y cuidando de los necesitados.

105. P: :¿En qué lugar de la Iglesia está presente Jesús de una manera especial?
R: En el tabernáculo.

En la Biblia: Éxodo 40,34; Lucas 22,19
En el Catecismo: CEC 1379

106. P: ¿Quién es la fuente de todas las bendiciones?
R: Dios es la fuente de todas las bendiciones. En la Misa, alabamos y adoramos a Dios Padre como la fuente de toda bendición en la Creación. También le damos gracias a Dios Padre por enviarnos a su Hijo. Sobre todo, le expresamos nuestra gratitud a Dios Padre por hacernos hijos suyos.

En la Biblia: Lucas 1,68-79; Salmo 72,18-19;
En el Catecismo: CEC 1083, 1110

Profundizando

Dios te ha bendecido de muchas maneras; pero toda bendición viene de la primerísima bendición — ¡la vida! Dios te ha dado la vida y te ha hecho hijo/a suyo. ¡Esta es una bendición increíble! Una de las maneras más grandes en que podemos mostrarle a Dios nuestra gratitud es asistiendo a Misa. Al estar ahí todos los domingos y participando en la Misa, le muestras a Dios cuán agradecido estás por todo lo que Él ha hecho por ti.

107. **P: Verdadero o Falso. Cuando recibes la Eucaristía recibes un pedazo de pan que significa, simboliza, o representa a Jesús.**

R: Falso.

En la Biblia: Mateo 26,26
En el Catecismo: CEC 1374, 1413

108. **P: ¿Qué recibes en la Eucaristía?**

R: El Cuerpo, la Sangre, el Alma, y la Divinidad de Cristo.

En la Biblia: 1 Corintios 11,24; Juan 6,54-55
En el Catecismo: CEC 1374, 1413

Profundizando

Jesús está verdaderamente presente en la Eucaristía. No es un símbolo, es Jesús. Nosotros recibimos completamente a Jesús en la Eucaristía. Hasta la miga más pequeña de una hostia contiene a Jesús en su totalidad. El pan y el vino se convierten en Jesús en el momento de la consagración. Este es un momento increíble. En este momento Jesús vuelve a estar entre nosotros. Cada vez que vas a Misa, el pan y el vino son transformados en el Cuerpo y la Sangre de Jesús. Dios te ha bendecido al poder recibir a Jesús en la Eucaristía.

109. **P: ¿Qué es la Transubstanciación?**

R: El momento en que el pan y el vino de convierten en el Cuerpo y la Sangre de Jesús.

En la Biblia: Mateo 26,26; Marcos 14,22; Lucas 22,19-20
En el Catecismo: CEC 1376

Profundizando

Dios tiene el poder de transformar todas las personas y cosas con las que Él tiene contacto. Todos los días, en toda la Iglesia Católica, durante cada misa, Dios transforma el pan y el vino comunes en el Cuerpo y la Sangre de Jesucristo. Después de recibir a Jesús en la Eucaristía, muchos de los Santos rezaban para convertirse en lo que habían recibido. Dios respondió sus oraciones y transformó su vida ayudándolos a vivir como Jesús. Al igual que con los Santos, Dios puede transformar tu vida. Cada vez que recibes a Jesús en la Eucaristía de una manera meritoria, puedes volverte un poco más como Él. Al igual que Jesús, puedes amar generosamente, y servir de una manera impactante a todo el que encuentres.

110. **P: ¿Cuándo se transforman el pan y el vino en el Cuerpo y la Sangre de Cristo?**

R: Son transformados por las palabras y la intención del sacerdote en el momento de la consagración, durante la Misa. El sacerdote, pidiendo la ayuda del Espíritu Santo, dice las mismas palabras que Jesús dijo en la Última Cena: "Este es mi cuerpo que será entregado por ustedes. Este es el cáliz de mi sangre".

En la Biblia: Marcos 14,22; Lucas 22,19-20
En el Catecismo: CEC 1412, 1413

Profundizando

La Última Cena es la comida más famosa de la historia del mundo. En ese lugar hace más de dos mil años, Jesús se entregó completamente a sus discípulos. Cada vez que vamos a Misa, el sacerdote pronuncia las mismas palabras que Jesús dijo durante la Última cena. Cuando lo hace, el pan de trigo y el vino de uva se convierten en el Cuerpo y la Sangre de Jesús. ¡Asombroso! Jesús quiere entregarse completamente a ti igual que se entregó completamente a sus discípulos en la Ultima Cena. Jesús quiere ser invitado a tu vida, quiere animarte, guiarte, escucharte, y amarte. Él se ofrece a ti de una manera especial en la Misa, especialmente en el regalo asombroso de la Santa Eucaristía.

111. **P: ¿Cuáles son los beneficios de recibir el Cuerpo y la Sangre de Jesús en la Eucaristía?**

R: Cuando recibes a Jesús en la Eucaristía te unes más con el Señor, tus pecados veniales son perdonados, y recibes gracia para evitar los pecados mortales. Recibir a Jesús en la Eucaristía también aumenta tu amor por Él y refuerza el hecho que eres miembro de la familia de Dios — la Iglesia Católica.

En la Biblia: Juan 6,56-57
En el Catecismo: CEC 1391-1396

Profundizando

La Eucaristía nos da poder para hacer grandes cosas por Dios. Los santos hicieron cosas increíbles por Dios durante su vida y la Eucaristía fue la fuente de su fortaleza. Por medio de la Eucaristía nos acercamos más a Dios, nos alejamos más de los hábitos pecaminosos, y crecemos en el amor a Jesús y a la Iglesia Católica. La Eucaristía es el alimento supremo para tu alma y te dará la fuerza y el valor necesarios para servir a Dios y al prójimo de una manera impactante al igual que los santos.

112. **P: ¿Cuán importante es la Eucaristía para la vida de la Iglesia?**

R: La Eucaristía es indispensable en la vida de la Iglesia. La Eucaristía es el corazón de la Iglesia. Una de las razones por las que la Eucaristía es tan importante para la vida de la Iglesia es porque a través de ella Jesús une a todos los miembros de la Iglesia con su sacrificio en la cruz. Toda gracia que fluye del sufrimiento, la muere, y la resurrección de Jesús viene a nosotros a través de la Iglesia.

En la Biblia: Juan 6,51. 54. 56
En el Catecismo: CEC 1324, 1331, 1368, 1407

Profundizando

Jesús prometió estar siempre con nosotros, pase lo que pase. Él ha estado cumpliendo esa promesa por más de 2,000 años. Jesús está siempre con nosotros en la Eucaristía. La Eucaristía nos une a Jesús y a su Iglesia. También nos une unos a otros. Somos bendecidos al tener la Eucaristía. Sólo por medio de la Iglesia Católica podemos recibir el regalo de la Eucaristía. ¡Es una bendición ser católico!

113. **P: ¿Debes recibir la Eucaristía en estado de pecado mortal?**

R: No. Si lo haces, cometes el pecado mortal adicional de sacrilegio.

En la Biblia: 1 Corintios 11,27-29
En el Catecismo: CEC 1385, 1415, 1457

Profundizando

Sería terrible si Jesús viene a visitar tu casa y está tan desordenada que no puedes abrir la puerta para dejarlo entrar. No importa cuánto quiera Jesús ser parte de nuestra vida, Él nunca se nos impondrá. El pecado mortal le tira la puerta de nuestra alma a Jesús en su cara; rompe nuestra relación con Dios y previene que las gracias maravillosas de la Eucaristía fluyan en nuestro corazón, en nuestra mente, y en nuestra alma. La Reconciliación vuelve a abrir la puerta de nuestra alma y deja que Jesús entre en nuestra vida de nuevo.

114. **P: ¿Qué es un sacrilegio?**

R: El abuso de una persona sagrada, de un lugar sagrado, o de una cosa sagrada.

En la Biblia: 1 Corintios 11,27-29
En el Catecismo: CEC 2120

115. **P: Si estás en estado de pecado mortal, ¿qué debes hacer antes de recibir la Eucaristía?**

R: Debes confesarte lo antes posible.

En la Biblia: 2 Corintios 5,20
En el Catecismo: CEC 1385, 1457

116. P: ¿Quién ofreció la primera Misa?

R: Jesucristo.

En la Biblia: Marcos 14,22-24
En el Catecismo: CEC 1323

117. P: ¿Cuándo ofreció Jesús la primera Misa?

R: La noche del Jueves Santo, la noche antes de morir, en la Última Cena.

En la Biblia: Mateo 26,26-28
En el Catecismo: CEC 1323

118. P: ¿Quién ofrece el Sacrificio Eucarístico?

R: Jesús es el eterno Sumo Sacerdote. En la Misa, Él ofrece el Sacrificio Eucarístico por medio del ministerio del sacerdote.

In the Bible: Marcos 14,22; Mateo 26,26; Lucas 22,19; 1 Corintios 11,24
En el Catecismo: CEC 1348

Profundizando

La Ultima Cena fue la primera celebración eucarística; fue la Primera Comunión de los discípulos, y la primera vez que alguien recibió la Eucaristía. La Misa no es simplemente un símbolo de lo que pasó esa noche. Jesús está verdaderamente presente en la Eucaristía. Cada vez que comulgamos, Jesús se entrega a nosotros de la misma manera que se entregó a sus discípulos hace más de 2,000 años. En la Misa, Jesús obra a través del sacerdote para transformar el pan y el vino en su Cuerpo y su Sangre.

119. ¿Qué es el Sacrificio de la Misa?

R: Es el sacrificio de Jesucristo en el Calvario, la conmemoración de la Pascua de Cristo, hecha presente cuando el sacerdote repite las palabras de la consagración pronunciadas por Jesús sobre el pan y el vino en la Última Cena.

En la Biblia: Hebreos 7,25-27
En el Catecismo: CEC 1364, 1413

Profundizando

Dios nos ama tanto que irá a extremos inimaginables para probar su amor por nosotros. El Viernes Santo, Jesús fue golpeado, fanfarroneado, burlado, escupido, maldecido, y crucificado. Jesús dio su vida por nosotros. El Domingo de Pascua, Jesús resucitó de entre los muertos. Lo hizo para que nosotros pudiéramos vivir una vida muy diferente aquí en la tierra y felizmente con Él para siempre en el Cielo. Cada vez que vamos a Misa recordamos la vida de Jesús, el camino que Él nos invita seguir, y los extremos increíbles a los que Él fue para mostrarnos su amor.

120. **P:** **¿Quién puede presidir la Eucaristía?**

R: Solamente un sacerdote ordenado puede presidirla y consagrar el pan y el vino para que se transformen en el Cuerpo y la Sangre de Jesús.

En la Biblia: Juan 13,3-8
En el Catecismo: CEC 1411

Profundizando

Ser sacerdote es un gran honor y un gran privilegio. Los sacerdotes dan su vida para servir a Dios y a su pueblo. El sacerdocio es una vida de servicio. Uno de los supremos privilegios del sacerdocio es ocupar el lugar de Jesús y transformar el pan y el vino en la Eucaristía. Este privilegio está reservado solamente para los sacerdotes. Nadie más que un sacerdote puede hacerlo.

121. **P:** **¿Cómo participamos en el Sacrificio de la Misa?**

R: Uniéndonos y uniendo nuestras intenciones al pan y al vino ofrecido por el sacerdote, que se convierten en el sacrificio de Jesús que Él ofreció al Padre.

En la Biblia: Romanos 12,1
En el Catecismo: CEC 1407

122. **P:** **¿Qué incluye siempre la celebración eucarística en que participamos en la Misa?**

R: Incluye la proclamación de la Palabra de Dios; la acción de gracias a Dios Padre por todas sus bendiciones; la consagración del pan y el vino; y la participación en el banquete litúrgico recibiendo el Cuerpo y la Sangre del Señor. Estos elementos constituyen un solo acto de culto.

En la Biblia: Lucas 24,13-35
En el Catecismo: CEC 1345-1355, 1408

Profundizando

La Misa sigue una cierta formula que siempre se repite y nunca cambia. Puedes ir a Misa en cualquier parte del mundo y siempre encontrarás que es igual. En toda Misa leemos de la Biblia, le mostramos nuestra gratitud a Dios por la bendición de Jesús, somos testigos de la transformación del pan y el vino en el Cuerpo y la Sangre de Jesús, y recibimos a Jesús durante la comunión. En medio de esta gran rutina, Dios quiere sorprenderte. Podrías pasar toda la vida yendo a Misa cada día y al fin de tu vida todavía ser sorprendido por lo que Dios tiene que decirte en la Misa. ¡La Misa es verdaderamente asombrosa!

123. **P: ¿Qué papel juega la música en la Misa?**

R: La música sagrada nos ayuda a rendirle culto a Dios.

En la Biblia: Salmo 57,8-10; Efesios 5,19; Hebreos 2,12; Colosenses 3,16
En el Catecismo: CEC 1156

Profundizando

Algunas veces, cuando estamos orando puede ser difícil encontrar las palabras correctas para expresar cómo nos sentimos. Para ayudarnos, Dios nos da el gran regalo de la música sagrada. Durante la Misa habrá cantos de alabanza, cantos de adoración, cantos de petición, y cantos de acción de gracias. La música sagrada ayuda a elevar nuestro corazón a Dios y a unirnos como una comunidad clamando a Dios con una voz.

124. **P: ¿Cuál es el Día del Señor?**

R: El domingo es el Día del Señor. Es un día de descanso; un día para que se reúna la familia. Es el día principal para celebrar la Eucaristía porque es el día de la Resurrección.

En la Biblia: Éxodo 31,15; Mateo 28,1; Marcos 16,2; Juan 20,1
En el Catecismo: CEC 1166; 1193; 2174

Profundizando

El domingo es un día muy especial. La Resurrección de Jesús es tan importante que la celebramos todos los días en la Misa; pero cada domingo la celebramos de una manera especial. Lo hacemos descansando, pasando tiempo con la familia, y yendo a Misa. El Día del Señor es un día para maravillarse de todas las maneras asombrosas que Dios nos ha bendecido, y por eso es un día de agradecimiento.

125. **P: Es un pecado mortal dejar de ir a Misa el domingo o un día de precepto por tu propia falta?**

R: Sí.

En la Biblia: Éxodo 20,8
En el Catecismo: CEC 2181

126. **P: ¿Qué persona de la Santísima Trinidad recibes en la Confirmación?**

R: El Espíritu Santo

En la Biblia: Romanos 8,15
En el Catecismo: CEC 1302

127. **P: ¿Qué pasa en el Sacramento de la Confirmación?**

R: El Espíritu Santo desciende sobre nosotros y nos fortalece para que seamos soldados de Cristo, para que podamos propagar y defender la fe católica.

En la Biblia: Juan 14,26; 15,26
En el Catecismo: CEC 1303, 2044

128. **P: ¿Qué es la Confirmación?**

R: Es un Sacramento que perfecciona la gracia bautismal. Por medio de él recibimos el Espíritu Santo y somos fortalecidos en gracia para que podamos crecer en virtud, vivir una vida santa, y llevar a cabo la misión a la que Dios nos llama.

En la Biblia: Juan 20,22; Hechos 2,1-4
En el Catecismo: CEC: 1285, 1316

Profundizando

Cuando seas mayor, tendrás la bendición de recibir el Sacramento de la Confirmación. La Confirmación nos recuerda que en el Bautismo Dios nos bendijo con una misión especial y nos llenó con el Espíritu Santo. Por medio de la efusión del Espíritu Santo en la Confirmación, somos llenados con el valor y la sabiduría que necesitamos para vivir la misión que Dios nos ha dado. La Confirmación profundiza nuestra amistad con Jesús y con la Iglesia Católica; nos recuerda que somos hijos de un gran Rey. Será un momento especial en tu vida y ¡una bendición maravillosa!

129. **P: ¿Cuándo se recibe la Confirmación?**

R: En el oeste, la mayoría de los católicos recibe la Confirmación durante su adolescencia; pero en el este la Confirmación es administrada inmediatamente después del Bautismo.

En la Biblia: Hebreos 6,1-3
En el Catecismo: CEC 1306, 1318

Profundizando

El Bautismo, la Confirmación y la Primera Comunión son llamados Sacramentos de Iniciación. De una manera especial, los Sacramentos de Iniciación profundizan nuestra amistad con Jesús y con la Iglesia, nos llenan con lo que necesitamos para vivir la misión de Dios para nuestra vida, y nos inspiran para convertirnos en todo lo que Dios nos creó para ser. Es importante recordar que estos tres Sacramentos están conectados; que son la base de una amistad fabulosa con Dios en la tierra y, para siempre, en el Cielo. En algunas partes del mundo, y en momentos diferentes a lo largo de la historia, hay personas que los han recibido en distintos momentos según las tradiciones locales y consideraciones prácticas. Por ejemplo, hace cientos de años, es posible que el Obispo visitara un pueblo solamente una vez cada dos o tres años, y, por lo tanto, la Confirmación se celebraba cuando él visitaba. Aún hoy día, algunos niños reciben el Bautismo, la Primera Comunión, y la Confirmación al mismo tiempo.

130. **P: ¿Cuáles son los siete dones del Espíritu Santo?**

R: Entendimiento, sabiduría, consejo, fortaleza, ciencia, piedad, y temor de Dios.

En la Biblia: Isaías 11,2-3
En el Catecismo: CEC 1830, 1831

131. **P: Antes de ser confirmado, le prometerás al Obispo**
que nunca dejarás de practicar tu fe católica por nada
ni por nadie. ¿Hiciste esa promesa antes alguna vez?

R: Sí, en el Bautismo.

En la Biblia: Josué 24,21-22
En el Catecismo: CEC 1298

132. **P: La mayoría de las personas fueron bautizadas cuando eran bebés. ¿Cómo pudieron**
hacer esa promesa?

R: Sus padres y sus padrinos hicieron esa promesa por ellas.

En la Biblia: Marcos 16,16
En el Catecismo: CEC 1253

133. **P: ¿Qué clase de pecado es recibir la Confirmación en estado de pecado mortal?**

R: Un sacrilegio.

En la Biblia: 1 Corintios 11,27-29
En el Catecismo: CEC 2120

134. P: **Si has cometido un pecado mortal, ¿qué debes hacer antes de recibir la Confirmación?**

R: Debes hacer una buena Confesión.

En la Biblia: 2 Corintios 5,20; Lucas 15,18
En el Catecismo: CEC 1310

135. P: **¿Cuáles son las tres vocaciones tradicionales?**

R: Matrimonio, Orden Sacerdotal, y Vida Consagrada.

En la Biblia: Efesios 5,31, 32; Hebreos 5,6, 7,11; Salmo 110,4; Mateo 19,12; 1 Corintios 7,34-66
En el Catecismo: CEC 914, 1536, 1601

136. P: **¿Cuáles son los tres votos que un hombre consagrado o una mujer consagrada toma?**

R: Castidad, Pobreza y Obediencia.

En la Biblia: Mateo 19,21; Mateo 19,12; 1 Corintios 7,34-36; Hebreos 10,7
En el Catecismo: CEC 915

137. P: **¿Cuáles son los tres rangos (grados) del Orden Sacerdotal?**

R: Diácono, Sacerdote, y Obispo.

En la Biblia: 1 Timoteo 4,14; 2 Timoteo 1,6-7
En el Catecismo: CEC 1554

138. P: **¿Para quién hizo Dios el matrimonio?**

R: Para un hombre y una mujer.

En la Biblia: Génesis 1,26-28; Efesios 5,31
En el Catecismo: CEC 1601, 2360

139. P: **¿Pueden dos hombres o dos mujeres casarse?**

R: No.

En la Biblia: Génesis 19,1-29; Romanos 1,24-27; 1 Corintios 6,9
En el Catecismo: CEC 2357, 2360

140. P: **¿Cuándo pueden empezar a vivir juntos una mujer y un hombre?**

R: Solamente después de su matrimonio.

En la Biblia: 1 Corintios 6,18-20
En el Catecismo: CEC 235

141. P: **¿Cuáles son las tres promesas matrimoniales que se hacen mutuamente los esposos?**

R: Fidelidad, permanencia y estar abiertos a tener hijos.

En la Biblia: Mateo 19,6; Génesis 1,28
En el Catecismo: CEC 1640, 1641, 1664

142. P: ¿Por qué es malo el aborto?

R: Porque le quita la vida a un bebé en el vientre de su madre.

En la Biblia: Jeremías 1,5; Salmo 139,13
En el Catecismo: CEC 2270

143. P: ¿Cuántos Mandamientos hay?

R: Diez.

En la Biblia: Éxodo 20,1-18; Deuteronomio 5,6-21
En el Catecismo: CEC 2054

144. P: ¿Cuáles son los Diez Mandamientos?

R: 1. Yo soy el Señor, tu Dios. No tendrás otro dios más que a mí.

2. No tomarás el Nombre del Señor, tu Dios, en vano.

3. Recuerda guardar el Día del Señor.

4. Honra a tu padre y a tu madre.

5. No matarás.

6   No cometerás adulterio.

7. No robarás.

8. No darás falsos testimonios en contra de tu prójimo.

9. No codiciarás la mujer de tu prójimo.

10. No codiciarás los bienes de tu prójimo.

En la Biblia: Éxodo 20,1-18; Deuteronomio 5,6-21
En el Catecismo: CEC pp. 496, 497

145. P: ¿Cuáles son las cuatro tipos principales de oración?

R: Las cuatro tipos principales de oración son: adoración, acción de gracias, petición e intercesión.

En la Biblia: Salmo 95,6; Colosenses 4,2; Santiago 5,16; 1 Juan 3,22
En el Catecismo: CEC 2628, 2629, 2634, 2638, 2639

146. P: ¿Cuán frecuentemente debes rezar?

R: Todos los días.

En la Biblia: 1 Tesalonicenses 5,17; Lucas 18,1
En el Catecismo: CEC 2742

Reconocimientos

Este proyecto comenzó con un sueño: crear la mejor experiencia de Primera Reconciliación y Primera Comunión del mundo. Esperamos haber logrado ese sueño, no por nosotros, sino por las millones de almas jóvenes que experimentarán este programa.

Cientos de personas han derramado su tiempo, su talento, y su pericia en *Blessed/Dios Te ha Bendecido*. Este es el resultado de años de investigación, desarrollo, y prueba. A cada uno de los que han contribuido en cada etapa del proceso—ustedes saben quiénes son—les decimos: ¡Gracias! Que Dios los bendiga y los recompense abundantemente por su generosidad.

Agradecimientos especiales a: Jack Beers, Bridget Eichold, Katie Ferrara, Allen and Anita Hunt, Steve Lawson, Mark Moore, Shawna Navaro, Father Robert Sherry y Ben Skudlarek.

Más allá de las enormes contribuciones de talento, otros han sido increíblemente generosos con su dinero. *Blessed/Dios Te ha Bendecido* fue financiado por un grupo de donantes increíblemente generosos. Ahora está disponible sin costo alguno para todas las parroquias en Norteamérica. Esta es una de las muchas maneras en que este programa es único.

Todo lo que ha sido históricamente grande ha sido logrado por personas que creyeron que el futuro podría ser mejor que el pasado. ¡Gracias por creer!

Ahora le ofrecemos a la Iglesia *Blessed/Dios Te ha Bendecido* como un regalo, esperando que ayude a los católicos jóvenes a encontrar a Jesús y a descubrir la genialidad del catolicismo.

Blessed/Dios Te ha Bendecido fue:

Escrito por: Matthew Kelly
Ilustrado por: Carolina Farias
Diseñado por: El Equipo de Diseñadores de Dynamic Catholic
Diseñador principal: Ben Hawkins
Diagramación y edición en español: Justin & Lili Niederkorn

Ayuda a *Blessed/Dios Te ha Bendecido* a ser la Mejor-Versión-de-Sí-Mismo

Dios Te Ha Bendecido es diferente a otros programas en mil maneras. Una forma en la que es diferente es que siempre está cambiando y mejorando. Nosotros necesitamos tu ayuda en esto y lo puedes hacer enviándonos un correo electrónico. Escríbenos si encuentras un error tipográfico o si se te ocurre una forma divertida en que se pueda mejorar el programa. De esta manera nos aseguramos que año tras año *Dios Te Ha Bendecido* pueda ser aún más dinámico.

blessed@dynamiccatholic.com

Blessed / Dios Te ha Bendecido

The Dynamic Catholic First Communion Experience/
La Experiencia de la Primera Comunión de Dynamic Catholic
©2017 The Dynamic Catholic Institute y Kakadu, LLC.

ISBN 978-1-929266-42-5

PRIMERA EDICIÓN

Misión

{
Re-energizar la Iglesia Católica de América
por medio del desarrollo de recursos de
clase-mundial que inspiren a las personas
a redescubrir la genialidad del catolicismo.
}

Visión

{
Ser líderes innovadores de la Nueva
Evangelización ayudando a los Católicos
y sus parroquias a convertirse en la mejor
versión de sí mismos.
}

Dynamic Catholic
Be Bold. Be Catholic.®